人文武术精品书系

勿使前辈之遗珍失于我手

勿使国术之精神止于我身

李存义

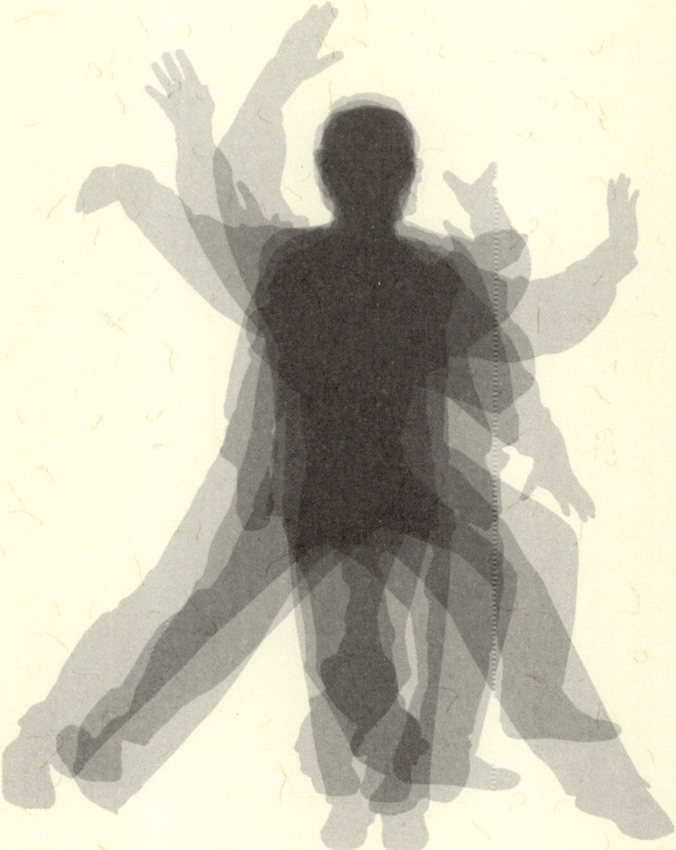

岳氏意拳十二形精义

武学名家典籍丛书

李存义武学辑注

李存义·著

阎伯群 李洪钟·校注

李存义（1847年—1921年），字忠元，河北省深县南小营村人。少时家贫，以帮人赶车为生。及长，习长短拳技并周游各地。师从形意拳名家刘奇兰，并兼从董海川习八卦掌。后至保定开设万通镖局，兼收徒授艺。1900年，以53岁之龄，毅然投身义和团，手持单刀上阵，奋起抗击外敌，一时间『单刀李』之名不胫而走。晚年弃镖行，专志授徒。1911年在津创办中华武士会。于北方武术界威望甚高。

李存义的形意拳特点鲜明，兼有河北、山西形意拳的传承特征，融合了八卦掌、太极拳的一些技法风格，部分动作还保留了外家拳械套路的影子。李存义先生的武学著述，在我国形意拳发展史上占有极其重要的地位，它在奠定河北形意拳理论基础的同时，也促进了民国时期武术黄金时代的到来。

北京科学技术出版社

岳氏意拳十二形精义

感谢阎伯群先生收藏并提供版本

出版人语

武术作为中华民族文化的重要载体，集合了传统文化中哲学、天文、地理、兵法、中医、经络、心理等学科精髓，它对人与自然和谐共生关系的独到阐释，它的技击方法和养生理念，在中华浩如烟海的文化典籍中独放异彩。

随着学术界对中华武学的日益重视，北京科学技术出版社应国内外研究者对武学典籍的迫切需求，于2015 年决策组建了“人文·武术图书事业部”，而该部成立伊始的主要任务之一，就是编纂出版“武学名家典籍”系列丛书。

入选本套丛书的作者，基本界定为民国以降的武术技击家、武术理论家及武术活动家，而之所以会有这个界定，是因为民国时期的武术，在中国武术的发展史上占据着重要的位置。这个时期，中、西文化日渐交流与融合，传统武术从形式到内容，从理论到实践，都发生了巨大的变化，这种变化，深刻干预了近现代中国武术的走向。

这一时期，在各自领域“独成一家”的许多武术人，之所以被称为“名人”，是因为他们的武学思想及实践，对当时及现世武术的影响深远，甚至成为近一百年来武学研究者辨识方向的坐标。这些人的“名”，名在有武术的真才实学，名在对后世武术传承永不磨灭的贡献。他们的各种武学著作堪称为“名著”，是中华传统武学文化极其珍贵的经典史料，具有很高的文物价值、史料价值和学术价值。

目前，“武学名家典籍”丛书，已出版了著名杨式太极拳家杨澄甫先生的《太极拳使用法》《太极拳体用全书》，一代武学大家孙禄堂先生的《形意拳学》《八卦拳学》《太极拳学》《八卦剑学》《拳意述真》，武学教育家陈微明先生的《太极拳术》《太极剑》《太极答问》，著名形意拳家薛颠先生的《形意拳术讲义》《象形拳法真诠》《灵空禅师点穴秘诀》。本套《李存义武学辑注》收录并校注了一代形意宗师、中华武士会奠基人李存义先生传世的《岳氏意拳五行精义》《岳氏意拳十二形精义》《三十六剑谱》《五行连环拳谱合璧》《八字功》《五行剑》《连环剑》《梅花剑》《三才剑》《三合剑》等多本拳械功谱。李存义的形意拳特点鲜明，兼有河北、山西形意拳的传承特征，融合了八卦掌、太极拳的一些技法风格，部分动作还保留了外家拳械套路的影子。李存义先生的武学著述，在我国形意拳发展史上占有极其重要的地位，它在奠定河北形意拳理论基础的同时，也促进了民国时期武术黄金时代的到来。需要特别提示的是，《岳氏意拳十二形精义》原文中有一些注明需参照《岳氏意拳五行精义》的内容，为便于理解，建议读者配套购买。

这些名著及其作者，在当时那个年代已具有广泛的影响力，而时隔近百年之后，它们对于现阶段的拳学研究依然具有指导作用，依然被武术研究者、爱好者奉为宗师，奉为经典。对其多方位、多层面地系统研究，是我们今天深入认识传统武学价值，更好地继承、发展、弘扬民族文化的一项重要内容。

本丛书由国内外著名专家或原书作者的后人以规范的要求对原文进行点校、注释和导读，梳理过程中尊重大师原作，力求经得起广大读者的推敲和时间的考验，再现经典。

“武学名家典籍”丛书，将是一个展现名家、研究名家的平台，我们希望，随着本丛书的陆续出版，中国近现代武术的整体风貌，会逐渐展现在每一位读者的面前；我们更希望，每一位读者，把您心仪的武术家推荐给我们，把您知道的武学典籍介绍给我们，把您研读诠释这些武术家及其武学典籍的心得体会告诉我们。我们相信，“武学名家典籍”丛书这个平台，在广大武学爱好者、研究者和我们这些出版人的共同努力下，会越办越好。

序

天津本燕赵之区，豪侠气象素号恢闳。所惜地域促狭，兼之开发较晚，武术难谓发达。然津埠肇自军卫，又允为漕运码头，六百余年以来，尚武风习亦自不磨。迨至晚近，以海疆门户故，频遭列强凌夷，外侮内忧，交错相袭，津民得有切肤之痛。国事危殆，民力疲乏，所谓强国强种，迫在眉睫之间，武术一事乃大兴焉。

学人阐绎民国武术之盛，例称“南有精武门，北有武士会”，此说推源虽未必久远，然要亦契合实情。而精武门之霍元甲，武士会之李存义，两位民国武林巨擘，均与天津关系密切。霍氏生于津南小南河村（今属西青区精武镇），旧居暨墓园业已修葺如故，允为武林豪英瞻拜之圣地；李氏虽非津人，然所启之中华武士会则肇自津门，其后影响乃渐及江南塞北。

壬辰仲秋之月，余辑录《中华武士会百年纪念集》，撰有简短“编后记”，以为民间之武术研究，毋论宏观微观问题均繁，若拟不断提高层次，真正进入学术领域，还要走很长的路：“一是消除门派之争和畛域之见，武门人士和专家学者能坐在一起，真正心平气和地研究探讨问题；二是对既有武学典籍进行科学整理出版，对各门各派秘不外传的文献进行大力挖掘并公之于众；三是坚持实事求是，对本门本派历史不夸饰，不溢美，更不能无中生有混淆视听，同时对既有之混乱正本清源，辨伪存真；四是口述资料的采集，方法要规范和科学，不能羼入非学术的东西，否则难于真正进入研究的大雅之堂；五是提高研究者和爱好者的整体文化素质，同时不断拓宽学术视野；六是适时成立有关研究组织和基金会等，对相关学术研究进行推动和扶植。”所云大体涉及两个方面——武术发展和武学研究。这些都是随记所思，现在看来颇为杂沓。然而将近四年过去，种种乱象可谓依然。这些问题的存在，不仅限制了武学研究的深度和广度，也制约了武术发展的传承和创新。

两个月之前，伯群先生传来《李存义武学辑注》书稿，希望我写几句话冠诸篇首。我于武术并武学都是外行，远无置喙其间的资格；然而我与伯群先生，与李存义及中华武士会，与天津历史文化研究，有种种扯不清的因缘，使得我没有借口来拒绝。《李存义武学辑注》所录李存义武学著述，泰半完成于李氏寓津期间，由其弟子杜之堂、董秀升等襄助整理。《李存义武学辑注》文献来源清楚，真伪辨析明确，史料去取精审，整理方法得当。准此，本书之价值和意义，非但为津门武学添增光彩，或亦可视作改变某些乱象之契机，至少可说是一次示范性实践。

北京科学技术出版社面对汹涌商潮，不惟浮名，不计锱铢，慨然将《李存义武学辑注》纳入“武学名家典籍丛书”梓行，此类成果若能日累月积，无论对武术发展还是武学研究来说，都是一件非常幸运的事。

丙申端午后三日

杜鱼草于沽上四平轩

（杜鱼，原名王振良，天津市著名文史专家、今晚报社编辑）

导读

清末民初，中国武术处于历史发展的勃兴期，涌现了以传统哲学名词命名，并以哲理阐发拳理的拳术和拳派。清晚期，以太极学说立论的太极拳，以八卦学说立论的八卦掌，以五行学说立论的形意拳，不断演进，活跃在燕赵大地。作为内家拳重要拳种的河北形意拳，在长期的发展过程中，融会和吸取了地域人文环境和自然环境的营养，形成了独特的技术风格和深厚的文化内涵，成为“源流有序、拳理明晰、风格独特、自成体系”的优秀拳种。形意拳源自心意六合拳，始于明末，盛行于晚清，为明末清初山西蒲州人姬际可所创。姬际可擅长“心意把”，尤精枪法，据说他在终南山见鹰熊相搏，心有所悟，于是变枪为拳，编创新法，并尊民族英雄岳飞为始祖。姬际可门下，分成河南、山西、河北三大派系，分化成不同的名字传承，包括心意六合拳、心意拳、形意拳等。传承谱系上，姬氏传曹继武；曹又传山西戴龙邦、河南马学礼；戴龙邦再传河北深州李洛能。李洛能根据拳术的原理原则及特点，反复实践，对心意六合拳进行了大胆的改革创新，衍化出新拳种“形意拳”。李洛能传郭云深、刘奇兰、宋世荣、车毅斋等，在河北和山西两地传承。在河北，以郭云深、刘奇兰为代表，被称为河北派形意拳。清末民初，河北派形意拳发展最为迅猛。在形意拳的第三代，以李存义为代表的武术家开始把这种风格简约、融技击与健身为一体的内家拳法传播到京津等大城市，在北方地区普及，直至辐射全国，进入军队、学校，形成当时全国影响最大的拳种。

形意拳在近代历史上的巨大社会效应，与李存义等武术家站在时代激变的潮头，追求强国强种、武术救国的梦想密不可分，也与其个人叱咤武林的风范、高尚的武德修养息息相关。李存义之于形意拳，乃至形意八卦，堪称承上启下、奠定基业的一代宗师。

李存义小传两种

李存义诞生于清道光二十七年（1847 年），是形意拳肇始初期以乡邦传承为主的深县籍拳家，与前辈拳师一样，均因家贫无资入塾，而以习武谋生。因缺少文化，李存义自己留下的生平文字极少，且武术作为民间活动，很少见载于官方史料，再加上年深代远，仅有的一些文献和口传资料逐渐湮灭，尽管曾经是一位在武术史上产生过伟大影响的人物，其事迹也显得极为疏略。

现存李存义小传两种，均为其随身弟子撰写，可资采信。民国二年，李存义携弟子郝恩光、李彬堂、李子扬等执教于中华武士会本部，担任教务主任，开始编纂形意教科书。他与弟子黄柏年编录了

《五行拳谱》一部。此书为手抄本，现藏于天津市河北区档案馆，《武魂》杂志根据此版本整理后发表。其序文部分介绍了形意拳的源流、中华武士会的创会历史，涉及李存义的生平事迹，此为李存义小传之一种。

《五行拳谱》残本

《五行拳谱》序

（原谱现存第一页）□□□□拾年，时东洋□□□命刘□□□征东总师。其年腊月，在京城靖摩寺招考武士，得第一名总教习，随营教授将佐。抵金陵，公任为两江督□□总，止仕归籍后，友人邀在保□□□万通镖局，公为该局之局长□□□□□□□□□英雄之佳□□□□□□□□之规模。

（原谱现存第二页）孙□□□□□□□□□□□公虽财政□□□□□□扬燕赵之士，咸知李公武技道德过人。至庚子变乱，鄚州诸门人欢迎抵鄚，挽留十余载，收徒甚广。宣统三年冬月归籍。民国元年天津组织中华武士会本部，举公为本部总教员。二年春二月，因南北意见有歧，政府委任王芝祥君为江西宣抚使，请公腹心从事，又命公为江西司令部总教员。续在金陵、上海等处□□□□提倡武风。抱定国民转□□□□□□□至□□□□□□□。

（原谱现存第三页）予幼爱习拳术，初本为强身练习，继乃成技艺门中人也。然虽若此，于技艺中，余终不知其究竟。复贸易云□所□□□□□□□丑春月，经王君维忠介绍于李存义夫子门下。公待遇笃诚，指教真功。余天性鲁钝，惟克（刻）苦功勤，后稍得堂室门径。民国元年，天津组织中华武士会，邀余为本部教员。虽技业浅薄，而授处之间，膜得我为成赞（此句难认，恐用字有讹错）。是李公一世之春暄（晖），难以我报。又蒙假以拳剑诸谱，其中语言深奥，唯恐初学者有弗明通之处。余等故解释数篇，为初学者辱览。

……

第四章形意拳历史。此功自达摩祖为始。初，祖静坐山林，观其龙、虎、诸鸡彼此相斗，各有所长。祖睹其形势，又以五拳为母，遂悟出十形，前文叙明，故不再录。至宋朝岳武穆王以得此异术，又增二形，鹰、熊是也，至今河南汤阴县岳家专门传授尚在焉。咸丰年间，山西载（戴）（原作“载”，自后改正之）龙邦先生，在河南得此传授。同治三年，直隶深州李君飞羽，平生最好武技，因贸易抵太原，经孟君介绍于戴先生。时李初见戴，即论平生所习，谈吐豪迈，稍一比拼，而知戴为异人也。自此北面而师之。经历十易寒暑，戴曰：“子勇成矣。”后李君返直，所收弟子甚广，余不能尽述，择其要者略而言之。第一、有深县城内刘奇兰君；二、郭云深君；三、山西车永宏、宋世荣。未能细述。于光绪甲午年，诸君树教京门。余师李公存义，立负笈从师，方得此术。至庚子，直省变乱，京师颓靡。时燕南之士，咸知李公武技、道德过人。鄚郡诸门人欢迎抵鄚，留十余载，至宣统三年冬月归籍。民国元年，诸君提倡尚武，其中有叶云表君、张恩绶君、张占魁君、刘殿琛君、张季高君、韩秀珊君将余等招至天津，同为提倡武风，先组织武士会。本郡广设传习所，为求普及全国之目的，唤起我国尚武之风。此形意所由始也。

李存义先生　黄柏年君同增修

民国二年冬月于天津公园内武士会师徒灯下修缮

（□代表原抄本无法辨认的损坏文字）

《近今北方健者传》

李存义的另一版本小传，由济南才子、中华武士会成员杨明漪撰写，收入《近今北方健者传》。本书于1923年出版，又称《拳勇见闻录》。杨明漪本人既是李存义的弟子，也是中华武士会创立和发展的见证者，《近今北方健者传》一书是研究中华武士会历史的珍贵资料。此为第二种。

李存义，字忠元。直隶深县南小营村人也，世称其业为首饰李，或称其艺为“单刀李”先生者也。先生修七尺有咫，赭颜钟声，精通武术，未尝读书，然于拳家谱牒，无不心识手摹。自言历习多门，年三十八，皈依形意门。师事刘奇兰，与八卦门之眼镜程、翠花刘为兄弟交。民国八年，年七十矣，望之如四十许人，内功醇而睟盎见，理固然欤。施教未尝有懈容，学者遇之，辄依依不忍离。聆其一二语，终身由之，无铢粟失，大河以北宗之。高弟某功行最深，声塞津京间，一日请益，先生用劈拳，未致力也，某仆丈余外，体无轻微伤，予适值之，不知其手法也。先生名满天下，顾与人恂恂如老妪，殆侠其骨佛其情者耶？著拳谱二百余卷，皆手自编录图解。民国元年创办天津中华武士会，今会中及弟子孙禄堂所出之拳谱，特其绪耳。予师事先生又与其子彬堂游，于八年秋（1919年），先生之归农也，曾合影作颂以送之曰：七旬老翁，发鹤颜童；精深武术，形意是攻；娓娓循循，宇内从风；阐明详瞻，著述富隆；黄河滚滚，岱岳崇雄；守先传后，斯道无穷。

明漪曰：忠元先生，于民国十年辛酉二月二十八日，病逝于家中，年七十二。予从之学，然文弱不任先生教，惟受呼吸法尔，并以之却病者今数年矣。闻先生之高弟云，先生之拳械，无不造极，所编十三枪法，尤为集大成之作。学者均未能窥其深，略有所获，即享大名矣。中华武士会谋所以寿之贞珉者，其事迹尚未征齐也。

创立中华武士会

早在清宣统二年（1910年），李存义就在天津三条石创办了民间武术团体"中华武术会"，开始了民间武术资源的整合，这个团体也成了中华武士会的前身。

辛亥革命以后，民国成立，锐意图强，孙中山倡导尚武精神，以强国强种，振兴国本，民间尚武之风蔚起，我国固有武术迅速复兴。燕赵之地自古就是孕育英豪侠客的文化息壤，在民族崛起之时，各界精英共同引领了武术变革的潮流。于是，由李存义、张占魁、李瑞东等一大批爱国武术家发起的中华武士会宣布成立。中华武士会在确立了形意、八卦、太极三大内家拳格局的同时，开拓了中国武术本土化的教育传播模式，把国粹武术普及到学校、军队，继之上升为“国术”，促进了中国武术的空前繁荣，在当代和后世影响巨大，其肇始之功首归李存义。

1912 年 6 月 5 日、6 日，天津《大公报》发布了“中华武士会公启”“中华武士会简章”及“中华武士会传习所简章”。其中“中华武士会公启”，从制度、思想、文化三方面剖析中国武术复兴的必要，在当时可称振聋发聩的呐喊：“我中国者，一尚武之国也。自我祖黄帝降昆仑，而东以武力逐蚩尤得中土，其雄武气概，盖可想见。以及战国时代，各国犹莫不崇尚武事，尽力发扬其尚武之精神。盖自古迄今，未闻有文弱之民而能立国者也。迨夫后世中原一统，各专制君主皆极思柔弱其民，使易于控驭，自是武道始不竞矣。极其弊而通国士夫，皆以习武事为轻狂，不但不以为可贵，而反蔑视之，遂使通国之人靡弱若病夫。夫以靡弱若病夫之人，而欲竞胜于此强权之时代，其有幸乎？吾中国近年以来，屡遭外人侮辱，而无如之何者，其原因虽不一，而国风之文弱，与士气之不振，则为其原因中之过且大者无疑也。彼东瀛萃尔三岛，人口土地不及我者，不止数倍，而能一战辱我，再战破俄，彼国士夫推原其故，辄归功于彼之武士道。由斯以察，武道之有关于国家兴废，不亦重大矣哉。况我中国之击技，其神妙实甲全球，若其变化莫测、刚柔并用、运气诸法，又为外人所梦想不到者。凡此，皆我先民好武者，久由经验而得之，岂有神权涉其间者。日本拾我唾余而能名动天下，甚至美之大总统求教师于彼邦，英之女校体操将尽改，用其柔术，拾我余唾而能盛称于天下，且收莫大实益，若彼者何也？此无他，以彼之视此有若第二之生命故也。我则藏精具粹，而世莫知焉，国家亦未能得其利者，何也？此无他，以我之视此直蔽屣之不若故也。他无论矣，就学界一方面观之，日本中学程度以上各学校，其校中莫不设柔道击剑，各部学生亦未有不习之者。年中试，合数次定优劣，以资鼓励。故学生时代除研究功课外，谈则论武，聚则斗力，周视全国莫不皆然。吾国则反，是文人直以运动为轻佻，而且视为下流。以此相较，彼兴我腐，岂偶然哉？同人观此情形，慨叹莫已。用特发起此会，欲以联络同好，广征武术名手，自兹以往，振起我数千载之国粹，使光显于世界。于是我国之武风可长，士气可振，国本可立，此岂可再忽之者哉？近世体育一科，各国莫不竞尚，其操练之术亦种类不一，然其适于运用，且益于体力者，则皆莫我中国之古击技，若此亦不必详论，就实际上比较之，自瞭然矣。观凡精于击技者，其体力、气力、魄力、胆力不胜常人数倍耶？吾人处世行事乏以上数种力者，鲜能成功。而欲备此数种力，则非近今各运动法所能济事。盖法门之不同，而收效自异也。今同人创设此会，募集击技名手，广设传习所，以求普及，期我国民自兹以往，变文弱之风而成坚强之习，以负我民国前途之重任。诸君有闻风兴起者乎？此同人大有厚望焉者也。”

“中华武士会简章”对武士会的办会宗旨、建制、人员等做了规定。名称，定名为中华武士会（亦称中国武士会，意在武术普及全国之目的）。宗旨，以发展中国固有武术，振起国民尚武精神为宗旨。会员，以年在15岁以上，籍为中华国民而品行端正者充之。会期，每年开春秋两季大会，是为常会。会所，暂假河北三条石直隶自治研究会总所。中华武士会附设传习所，学科分为两种，一速成科，一专修科。

中华武士会发起之时，也是河北形意拳术峥嵘初露之机，北方各派拳家都对新兴的形意拳术争议颇多，质疑形意拳的实际功用，于是李存义率弟子郝恩光与李子扬夜半拜见中华武士会支持者张继等人，陈形意之适用，为国粹，并令两位弟子演习拳术。演练中，地砖碎裂数方，令张继等人惊叹不已。次日开会，公布形意拳术为中华武士会首选，李存义为教务主任，刘文华为总教习，李彬堂、郝恩光等为教员，以传授形意、八卦、太极拳为主，另有八极拳、通背拳、戳脚等，各拳种均由优秀拳师任教。中华武士会由教务主任李存义为总负责人，代理会长之职。随着武士会的发展，除李存义、李星阶二人外，还先后有几位捐资人担任过会长或名誉会长，但均为挂名。

中华武士会创立后，到天津公园学习武术的人络绎不绝，常有学生、教员、商人排队前往学习武术。由于场地不足，中华武士会在河北甘露寺宣讲所设立分部，招致学员。作为师资，中华武士会聚拢了一大批中国北方武林的顶尖高手，如定兴三李、尚云祥、郝恩光、李彬堂、王子翙、程海亭、李进修、王俊臣、韩慕侠、黄柏年、张景星、李书文、霍殿阁等，都是中华武士会的早期教员、中国武术教育的先行者。

中华武士会还汇聚了一批剑胆琴心的文化精英，整理编写武术教材，如学者杜之堂、学务公所画师阎子阳，为李存义口述拳谱、剑谱进行编录和绘图，加以系统整理，对后世河北形意拳研究奠定了理论基础。黄柏年也与老师李存义灯下修谱，留下《五行拳谱》一部。

在社会各界爱国人士的支持下，中华武士会蓬勃发展，京津各校纷纷到武士会聘请教员。1913 年，李子扬受聘于天津北洋大学，李剑秋接替刘文华赴北京清华学校任武术教员。中华武士会的武术教学活动扩大到全国。李存义为调节南北政治分歧，赴江西司令部任总教员，后在金陵、上海等处提倡武风，在上海南洋公学（上海交大前身）教授拳术，数月后返津。同年，中华武士会在日本成立中华武士会东京分会，传授中国留学生。来自中国的形意拳术让日本武士道深感中国武术的深邃，羡慕且嫉妒。日本武士道召开赛武会，意将抑制中国人以自扬。郝恩光登台，展露形意绝技，日本武士无敢撄之。形意拳术被日本人视为武林绝学，在私下揣摩和研习，重金邀请郝恩光传授技艺，被郝拒绝。郝恩光归国时，受到留学生的热烈欢送。

1918 年夏，天津博物院召开成立展览大会，以中华武士会为主体，李存义在弟子李星阶的协助下，召集北方数省六十多个门派，三百多位武术家莅会表演，规模之大，影响之广，堪称空前。各派之间沟通了感情，交流了技艺，受到社会各界的嘉许，数百群众踊跃报名加入武士会，武士会利用天津城厢附近的四个宣讲所，除原有的甘露寺（北大关）宣讲所、天齐庙（东马路）宣讲所，还在西马路、地藏庵（河东粮店街东）两处宣讲所，设立武士会分部，与天津社会教育办事处共同推行社会教育，兼筹并顾，形成德智体三方面兴学的一部分。

1918年9月14日，北京召开万国赛武大会，俄国大力士康泰尔设擂比武，主办方函请北方武术家到京。李存义为维护国术和民族尊严，率门人数十前往赴会较技。会上，因格于警厅、步军统领之禁未得交手，改为演武，中华武士会有精彩表演。其后，康泰尔表演举重，力举200斤石墩，墩上带6人，环社稷坛走一圈。中华武士会王贵臣举其墩，能带12人环社稷坛走三圈，以此神功绝技慑服了俄国大力士，使其将11块金牌主动献给中华武士会。中华武士会参加赛武会的消息被北京、天津、上海的各大报纸连续跟踪报道，成为当时家喻户晓的社会新闻。会后，北京《顺天时报》、天津《大公报》和《益世报》先后以《中华武士会赛武大会之详志》为题，刊发详细报道。

万国赛武大会后，北方各省掀起习武热潮，前来中华武士会习武人员彻夜不断，令年事已高的李存义难以应付，隐居英租界弟子张天普家中，由继任会长李星阶打理会务。

李星阶在主持武士会期间，秉承李存义的办会理念，团结武林人士，联络各个门派，以武术教育为主旨，与阎子阳、王子翙、杨明漪、韩怡庵等一批武士会的骨干成员做了大量卓有成效的工作，使中华武士会成为我国北方武术教育活动的中心。

李存义对弟子们的成绩给予了极大的肯定，深感欣慰，遂于1919年秋归乡，颐养天年。

1919 年中华武士会教职员合影

左起：程海亭、韩慕侠、周祥、李呈章、李星阶

武学贡献

中华武士会所凝聚的武术家、教育家，以燕赵大地为地缘，深受古燕赵文化熏陶，在学术上，继承了明末清初哲学家孙夏峰以及后学者颜习斋的学说，主张文武并重、经世致用，注重身体力行，燕歌沉雄之气一脉相承，因此，在体育教育理念上，较早认识到，武术不独可以强健体魄，也可以增进德性，具有教育之价值，即体育，以养其体力，启其智慧，尊其德性。所以，中华武士会在李存义的教育理念的指导下，敢于率先打破沿袭了几千年的私相传授、匿于岩穴的传承方式，一改为著述教材，公开传播，开办传习所，在社会各界广泛招生；同时，迈出更重要的一步，进入课堂，开启了中国武术教育的先

例，赢得了示范效应。1915 年 4 月，全国教育联合会在津召开，通过了旧有武术列为学校必修课的议案，教育部明令“各学校应添中国旧有武技，此项教员于各师范学校养成之”。至此，源远流长的中国武术确立了在现代教育领域的地位。

据杨明漪《近今北方健者传》载，李存义“著拳谱二百余卷，皆手自编录图解”。本套《李存义武学辑注》收入了李存义先生手录或口述，并由弟子编撰而成的主要著作，这些著作曾作为中华武士会学员、中高等学校、军校的普通教材，广为使用。其内容是形意拳最具代表性的拳械套路、理论功法，是修功练武之门径。本书在编辑过程中，根据内容关联和篇幅分为三册：第一册《岳氏意拳五行精义》（附《五行连环拳谱合璧》），第二册《岳氏意拳十二形精义》（附《八字功》），第三册《三十六剑谱》（附《五行剑》《连环剑》《梅花剑》《三才剑》《三合剑》）。

笔者在校注李存义先生著作时，发现一个比较容易混淆的因素，就是本书影印并简体化的版本和校注过程中参校的版本较多，比如“保定本”“山西本”“杜本”等。根据校注中具体的使用情况，对各个版本说明如下：

《岳氏意拳五行精义》（上下册），李存义原述、董秀升编辑，1934 年由晋新书社刊行。本书将上下两册《岳氏意拳五行精义》《岳氏意拳十二形精义》分别影印并简体化。据传 1914 年李存义曾授董秀升岳氏意拳古拳谱，但原书未见。从 1934 年刊行的《岳氏意拳五行精义》来看，多系《武术研究社成绩录》所编。

《五行连环拳谱合壁》，李存义口述、杜之堂编录、阎子阳绘图，刊行于中华武士会早期。本书影印并简体化，简称“杜本”，由于篇幅较小，附于《岳氏意拳五行精义》之后，但读者万不可轻视之。《五行连环拳谱合壁》是中国近代流传最早的一部形意拳术教材，编写于民国初期，为此后出版的形意拳著作树立了典范。一方面，它建立了语言通俗而层次井然的理论体系。清末流传的形意拳抄本，其理论多晦涩难明，同一主题的论述，多分散于全书的不同章节，缺乏理论的层次性、逻辑性。对文化程度较低的习武者来说，如同天书一般，很难正确指导练拳实践。《五行连环拳谱合壁》一书，对古人的写作方法进行了彻底改革，实现了理论的系统性、层次性。该书首先阐述形意拳的理论基础——五行理论以及与五行相对应的五脏与五拳；继而介绍了人体基础知识——四梢理论及四梢在拳术中的相应练法和功用。更为难能可贵的是，它把零散存在于古拳谱中的有关形意拳的各部身形要求，做了精准的提炼，总结出了“八字诀”“九歌”这样的经典篇章，通俗易懂，合辙押韵，朗朗上口，便于记忆，成为后世传人练习形意拳的准绳，直至今日仍为形意拳著作所引用；另一方面，它开创了详细图解拳术的先河。此书问世之前的拳谱，多是只有文字理论，没有插图，即便有图也无详细的图解，使读者只能望书兴叹，无法学习。《五行连环拳谱合壁》的插图，能够精确地表现形意拳的技术要求，把动作之间的过渡状态也用虚线形象地描绘出来，还把拳术的行进路线准确画出，使学者一目了然。

《三十六剑谱》，李存义口述、杜之堂编录，刊行于中华武士会早期。本书影印并简体化。

《武术研究社成绩录》，保定陆军学校1918年编订，大量收录了李存义拳械图谱，由王俊臣、李剑秋校订，张桐轩编辑。本书将其中的八字功、五行剑、连环剑、梅花剑、三才剑、三合剑等章节影印并简体化，其他部分作为参校，简称“保定本”。1915年，教育部在全国明令开设武术课程后，形意拳走进校园。直隶各省武术教员多由中华武士会会员担任，这些拳谱也随之变成各学校的武术教材范本，直接用于武术教学。1916年，保定陆军学校开设武术课，成立武术研究社，并于1918年出版《武术研究社成绩录》，为保定陆军学校“同人将年来所习拳术课目而订之为成绩录”。此书中大部内容采用了李存义口述之拳械图谱。

《八字功拳谱》，民国初年李存义口述、杜之堂编录。本书作参校使用。

《形意拳古谱》《拳术讲义》，1919年，张桐轩于山西国民师范学校任教，印行此二拳谱，简称“山西本”。本书作参校使用。

《李存义剑谱》裴锡荣藏本，简称“裴本”。本书作参校使用。

《五行拳谱》，李存义与弟子黄柏年编录。本书作参校使用。

李存义先生“历习多门，年三十八皈依形意门”，在他所编拳械套路中，有如下特点：第一，部分动作仍然保留外家拳械的特点。例如，有些动作要求：“前腿进、绌，后腿跟、支”的弓箭步及剑术中常见有臂伸直的动作，明显存有外家拳的影子，不过在步法上采用形意拳的跟步，这样发力更加充沛，姿势舒展美观大方。当然，山西、河南的心意六合拳也常见重心在前腿的动作，说明早期河北形意拳也沿袭了心意六合拳的特点。第二，融合八卦掌、太极拳的特点。李存义先生武艺精深，轻财重义，广结豪俊，与八卦门程廷华、刘凤春，太极门李瑞东以及刘德宽等为兄弟交，故李存义所传形意拳械套路把八卦掌、太极拳的技法和风格有机地融入进来。李氏所编“龙形掌”“龙形剑”就是典型的形意、八卦合一的套路；五行拳中钻拳回身势也是采用了八卦掌中转环掌动作，在“八字功”套路中更是多处吸收了八卦掌的肘下穿掌和转环掌，在步法上也采用了八卦掌的扣步，演练风格则采用了太极拳的轻缓柔和发劲含蓄的特点，故又称作“软八手”；李氏所编“六合剑”中也吸收了八卦剑的步法和动作。第三，融合河北、山西形意拳的特点。据姜容樵《形意母拳》记载：“北方自李洛能传授形意时，仅五行、连环，十二形半数而已。至郭云深先生仍之，后由李存义先生及同门某公，赴山西太谷，寻访同门前辈精斯术者，乃尽其所学而载之归。”

总之，李存义先生的武学著述，在我国形意拳发展史上占有极其重要的地位。它在奠定河北形意拳理论基础的同时，也促进了民国时期中华武术黄金时代的到来。本套《李存义武学辑注》是国内首次系统出版的李存义武学著作，囿于笔者的学识，在校注中不免谬误之处，恳望广大读者和同仁批评指正。

形氏意拳十二形精義

健彊圖

秀升大兄屬題　榆次常贊春篆

尚武精神

秀升大兄屬
梁成楷題

岳氏意拳十二形法精義

目錄

曹繼武先生十法摘要　結論

岳氏意拳原序

天下之治道有二、曰德曰威、天下之學術有二、曰文曰武、然武之所重者、技藝也、況國家講礼有法、蒐苗狝狩、各有其時、而其間精微奥妙、各有不容率意妄陳者、余嘗擬著為論、公諸同好、特恐言語不精、反悞後世、此心耿耿、曷其有極、兹見 岳武穆王拳譜、意既純粹、語亦明暢、余愛慕之忱、急録之為誌、 王諱飛、字鵬舉、河北相州湯陰人也、父早卒、事母至孝、少負節氣、優于將畧、剛毅多謀、家貧力學、尤好左氏春秋、其志勇絶論超群、當時名將無比、及長應募於東京留守、與宗澤談兵曰、如將軍者、方可與言孫吳、屢尚戰功、遂成大將、善以少擊衆、自率八百人、破王善等五十萬衆與南董門、八千人破曹城等十餘衆於桂嶺、其戰兀朮於順昌、則嘗從菟八百騎大破金兵於朱仙陣、又師五百人破金兵十餘萬衆、有所舉必謀定而後戰、故有勝無敗、猝遇敵不動、故敵為之語曰、撼山易、撼岳將軍難、張俊嘗問用兵之術於王、王曰、仁信志勇嚴缺一不可、平生好賢禮士、博覽經典、雅歌投壺、恂恂然如書生、每戰勝、必辭功曰、將士效力、飛何功之有、忠憤激烈、議論持正、不挫於人、卒以此為禍、余為宋深惜之、

王當童子時、受業於少林侗大禪師、精通鎗法、以鎗為拳、立一法以教將佐、名曰意拳、神妙莫測、蓋從古未有之技也、王以後、金元明數代、鮮明其技、獨我姬公名際可、字隆風先生、於明末清初、為蒲東諸馮人氏、訪名師於終南山、得 岳武穆王拳譜、後授余師曹繼武先生於秋蒲、時人不知其武勇、先生習練十有二年、技勇

方成、清康熙、癸酉年科聯捷三元、欽命為陝西靖遠總鎮大都督之職、到任歸籍、余遊至池州、先生以拳授余、學三十自寒暑、先生曰子藝成矣、命余回晉、至洛陽、遇學礼馬公、書於談勢甚洽、囑余為序、余不文焉能為序、但見世有勇敢之士、未嘗無兼人之力、及覩其藝、再叩其學、手不應心、語不合道者何也、不得箇中正真傳故耳、所謂真傳者、名曰武、其實貴和、和者、智與勇順成自然之理也而非近世所習捉拿拘打、封閉閃展、逞其跳躍、悦人耳目者之可比、其意拳大要不外五行陰陽起落進退、動靜虛實、而其妙又須六合、六合者何也、分內三合外三合、內三合眼與心合、心與意合、意與氣合、外三合、手與足合、肘與膝合、肩與胯合、內外如一、稱其六合、茍能日就月將、智無不圓、勇無不生、得乎智之理、會乎和之精、自然能去能就、能弱能強、能進能退、能柔能剛、不動如山岳、難知如陰陽、無窮於天地、充足如太倉、浩渺如江海、眩曜如三光、以此視近世之演武者、異乎不異乎、同乎不同乎、學者可不詳辯歟、是為論、

中華民國二十三年六月下旬山西太谷董秀升錄於省垣之寄廬

上編

岳氏意拳十六要訣

十六者即一寸、二蹦、三攢、四就、五夾、六合、七疾、八正、九經、十驚、十一起落、十二進退、十三陰陽、十四五行、十五動靜、十六虛實、

一寸是步也、二蹦是腿也、三攢是身、四就是束身、上下束而為一也

五夾是剪、兩腿行如剪也、六合是內外六合也、手與足合、肘與膝合、肩與胯合、是外三合也、眼與心合、心與意合、意與氣合、是內三合也、內外如一、稱其六合也、七疾是毒、眼毒心毒手毒也、八正是直也、看斜是正、看正是斜也、九經是手摩內五行也、十驚是驚起四梢要齊也、十一是起落、起是去、落是打、起亦打、落亦打、起落如水之翻浪也、十二進退、進步要低、退步要高、不知進退枉學藝也、

十三陰陽、看陰而有陽、看陽而有陰也、天地之陰陽相合則雨、拳之陰陽相合能成一氣也、十四五行、内五行要動、外五行要隨也、十五動靜、靜為本体、動為作用、若言其靜、未漏其機、若言其動、未見其跡、靜中猶動、動猶靜也、一切變化、皆動靜之妙也、十六虛實、虛是精、實是靈、精靈皆有、稱其虛實也、

上編　形拳原理

形者。天地化生萬物之形也。萬物生於天地。各得其一體。雖間有偏而不全。然亦能各盡其性。以隨時起止。而不稍負其形。人為萬物之靈。享受獨厚。心思形骸耳目手足。聰明睿智。才力氣魄。廣大精奇。無所不備。足以配天地。本神明。贊化育。故孟子曰。萬物皆備於我。若舍形骸而不治。棄聰明而不用。是辜負天地賦我之形。諺之所謂錯受人形也。孟子曰。惟聖人然後可以踐形。形拳者。亦踐形之一端也。

第一章　十二形

十二形者、一曰龍、二曰虎、三曰猴、四曰馬、五曰鮀、六曰雞、七曰鷂、八曰燕、九曰蛇、十曰鮐、十一曰鷹、十二曰熊、蓋諸物受天地之精、各得其一體、其形雖偏、然絕利一源、獨得天地之妙、且形雖十二、卻能該括萬物之理、實為萬形之總綱、吾人倘能盡十二形之妙、即盡萬形之妙矣、况萬物舞蹈、常法人形、而人反不能格萬物之理以全其形、則人不如物矣、夫豈可哉、

○第一節　龍形

龍為最靈最神之物、有升降之形、為剛柔之体有搜骨之法、有大小之化其勁起於承漿之穴(即唇下陷坑處)與虎形之氣、輪廻相接、其拳順則心火下降、身體靈活其拳謬則陰火燒身、絕無活潑之希望、學者不可忽也、

一、開勢(即三體勢)與上冊上編第一章第五節同一要領如下圖

三體圖

二、起勢　由三體勢左足尖向左斜橫足心離地右足扭直足掌着地足跟提起兩手如劈拳但右手前出左手收回身體伏下小腹置於左腿上兩目注視右手食指手與心齊平如龍下降之形此時胯裹腰挺肛提肩垂心平氣和不可努力助長

龍形一式

三、換勢

由前勢將右手收回 如劈拳要領將左手劈出同時腰中挺勁身向上騰兩足前後更換如龍升天之形落下時四梢要齊與前勢同但更換時頭隨身向上頂眼隨手向上看下頦前伸上提如此反復動作數之多寡不拘

四收勢 收勢仍還於起勢右手左足在前然後將左手仰出右手收回成三體勢停止

○第二節 虎形

虎有伏身離穴之勢、又有撲食之勇、又有坐窩之能、其勁發於臀尾、其拳順則清氣上升、其拳謬則濁氣不降、則諸脈不通、醫家謂督脈、為百脈之源、督脈通、則諸脈通、督脈即臀尾也、

一、路線 虎形之路線與砲拳同

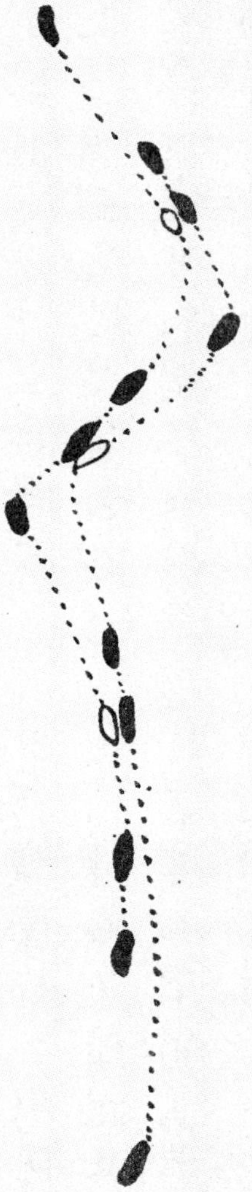

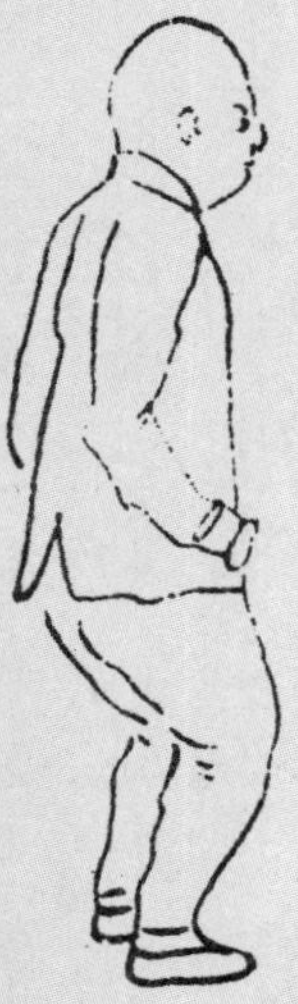

二、起勢　由三體勢先將兩手往前下方伸直再將右足前進左足提起緊靠右足脛同時兩手握拳抽回陽道小腹兩肘緊靠兩肋兩臂須有裹力挺腰提肛此起勢也要領與砲拳同如左圖

三、落勢　兩拳由胸口鑽出翻落變掌如弧形同時左足前進右足隨跟此時兩肘下垂兩掌間隔少許虎口相對與胸齊平總之手起而鑽手落而翻手足齊落挺提伸肩此虎形精神之大概也至左右互換看路線自明如左圖

四回身勢　左撲則右轉身右撲則左轉身其要須與砲拳回身同其路線亦同

第三節　猴形

猴物之最靈巧者也、達爾文以人生進化、皆始於猿猴、蓋其身體各機關之組織、腦筋之靈活、與人相去不遠也、猴形有縮力之法、有縱山之能、在腹內則為心源、在拳為猴形、其拳順則心神定靜、而形色純正、其拳謬則心搖神亂、而形色失和、學者須注意焉、

一、路線如下圖

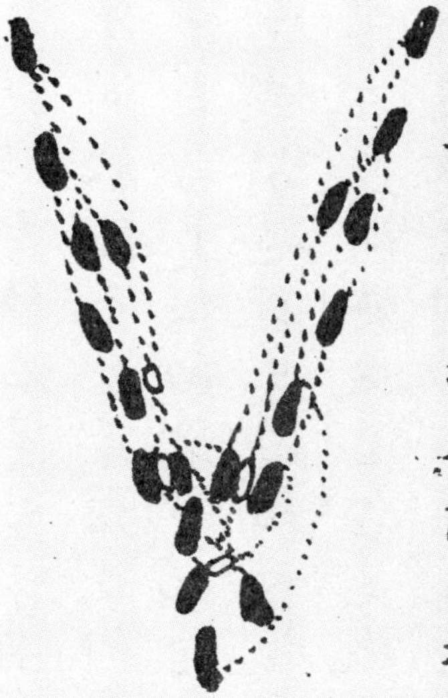

一、第一勢　由三體勢將左足提起走往右邊墊步極力向外擺勁左手落至小腹與劈拳同樣鑽出身隨左足向左轉右足極力隨步至左足前方足尖向裏扣勁落下此時身体與面向或西南或東北祇看從何方起点若由北方起点此勢則面向東北矣復將左足與左手同時撤至右足後方右手再從左手上方劈出此勢與劈拳畧同

左勢

二、第二勢　由一勢將左足極力往後墊步右足踏地拉至左足處足跟提起足尖着地足跟對左足脛骨身體成三折形右手撤至小腹肘靠脇左手出至口前約二十生的手心向下兩手如鷹捉五指具張肘靠脇兩胯裏根與臀尾極力往後縮力頭稍向前並向上頂勁如左圖

左勢

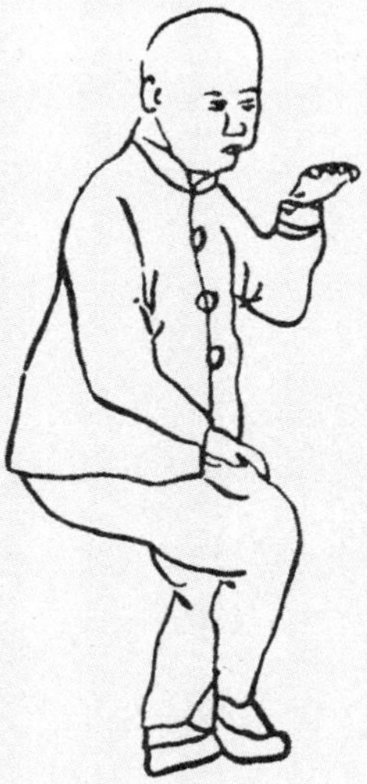

三、第三勢　由二勢將右足極力向前墊步右手左足同時並出收左手至左脇復出右足左手亦同時並出惟右腿極力上提大腿根與小腹相腦足尖極力上仰微停再出右手落右足左手又收回出手落足收手要齊整此勢與劈拳相同

左勢

四換勢　由三勢將右足極力向外扭動右手亦如左勢落在小腹處復行鑽出身体隨右足右轉極力向前進步復極力向裏扣足此時面向西北矣再出左手仍如左勢往後縮力復向前進步出手提足收手無不與左勢同至於第二第三勢均與左勢之第二第三勢同故不復贅

右勢

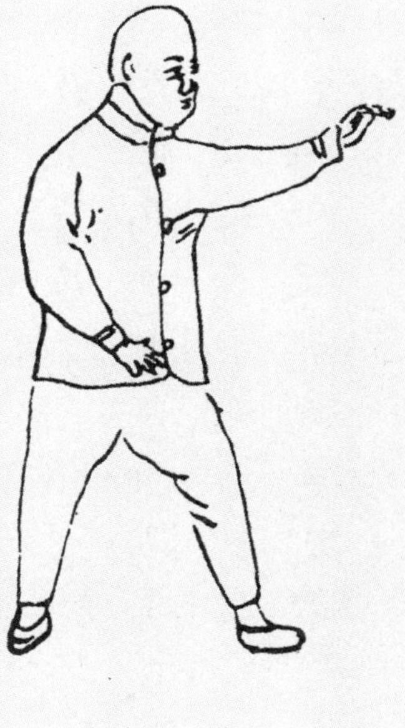

五、收势　至原起地点作三体势

○第四節　馬形

馬之性最馴熟、馬之形最勇敢、且有疾步之能、富於衝力、世人用以充軍、良有以也、在腹内則為意、在拳則為馬形、其拳順則意定氣平、其拳謬、則意妄氣乖、而手足不靈矣、

一、路線　馬形之路線每三步為一組前脚進後脚大進前脚復進而後脚跟進如左圖

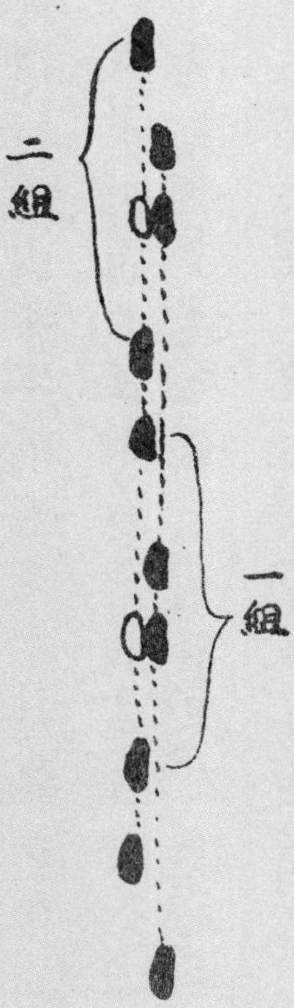

二、起勢　由三體勢先將兩手變拳後陽前順然後前脚小進後脚大進前脚脚尖上提靠後足腿兩膝尤須靠緊成金雞獨立式同時前拳收回仰抱與臍齊後拳順出與胸同高其兩拳之出入與崩拳概同但須與脚相合此起勢也

三落勢　由起勢以上提之脚復進一大步後脚跟進同時收回前拳伸出後拳仍與崩拳之動作同此落勢也

四、回身勢　左手前則右轉身右手前則左轉身其動作即將前拳收回同時由右(左)向後轉而伸出後拳轉時以兩足跟為軸足尖離地少許

○第五節　鮀形

鮀為水族中最伶之物、此形有游泳之能、在腹內為腎、能散心火、消飲食、活潑周身之筋骨、融化身体之拙氣拙力、其拳順則筋骨能轉弱為強、易拙重為輕靈、其拳謬則手足拘束、而筋骨固滯不通、可不慎哉、

一、路線　鮀形之路線每一步為一組其形如電光

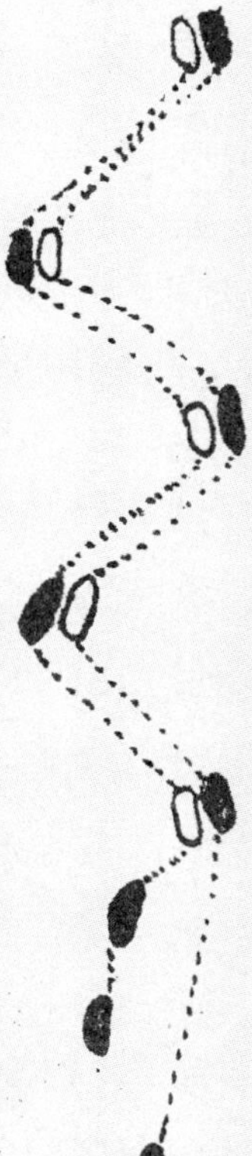

二、左势　由三体势左足向前垫步右足前进着地左足随之紧靠右胫全足离地少许同时右臂由胸钻出至口而外翻左臂随至胸前如劈拳惟肘下垂较重除大指食指伸开余指弯曲

三、左勢　由右勢左足斜向前進右足隨之緊靠左腿離地少許同時左臂由胸鑽出至口而外翻右臂隨至胸前與左勢畧同動作時兩眼須注視左右手之食指兩手雖有分合總是一氣如連環不斷手足雖有分合總與腰合成一氣如萬派出於一源上下雖有分合而腰頭總是一致不可乖離此鮀形之精神也

四、回身勢　當出右手右足之時左足不落即極力回身同時左臂由胸鑽出右手右足隨跟左勢回身亦如之

第六節　雞形

雞有獨力之能、有振翼之威、有奮鬥之勇、且司晨報曉、最有益之家畜也、此形能起足跟之勁使之上升、能收頭頂之氣以之下降、且能散真氣於四体之中、拳順則上可補腦筋之不足、下可醫腿足之疼痛、拳謬則腦筋不足、手足麻木不仁、此不可不注意也、

一、路線　雞形之路線與馬形同

二、起勢　由三體勢前脚小進同時將前手收回後手從前手下面鑽出後脚急進一大步更同時收回後手仍由手之下面鑽出前手此時前脚提起附着於後足脛且兩膝

靠緊名曰金雞獨力式兩手出入時務必挺腰挺頸肩須垂扣身體不可搖動此為至要

金雞獨立

(一)

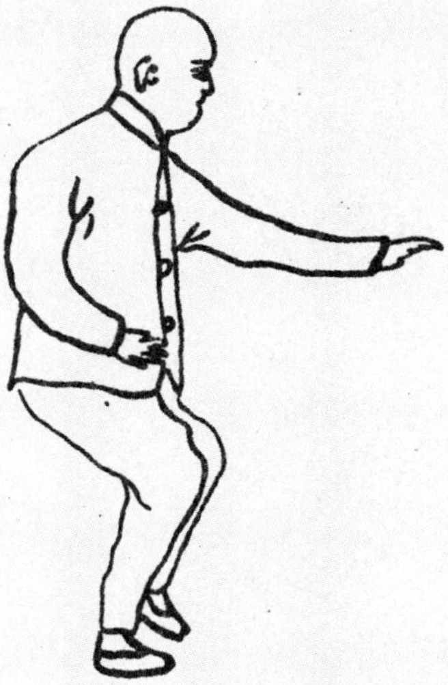

三、落勢　上提之腳前進一大步後腳跟進成三體勢腳落地時伸出之手極力向外推勁收回之手極力向下按勁一切要領均與三體勢同

(二)

四、回身势　右手前則左轉身左手前則右轉身轉時以兩足跟為軸将前手收回同時由左(右)向後轉而伸出後手

○第七節　鷂形

鷂形者、最鋒利最鋭敏之形也、飄忽猛鷙不可方物、誠以鷂之為物、有束翅之法、有入林之能、有翻身之巧、在腹内能收心藏氣、在拳内能束身縮体、拳順則能收先天之氣入於丹田、且能束身而起、藏身而落、拳謬則心努氣乖、而身亦捆束不靈矣、

一、路線　鷂形之路線甚複雜先由兩足横併為一然後出左足為二次則左脚小進右足大進左足靠右脛為三復進左足為四此一組也次則三步為一組左足進為一右足進為二左足退進為三再次則回身進左足為一復進為二右足大進為三復進左足為四此又一組也

二、動作　人面向路線之側兩足橫併成人字形兩拳仰抱在臍

乙、身向下作蹲兩腿彎曲兩拳相交右拳在上由腹際錯出此時面對路線上身向左斜

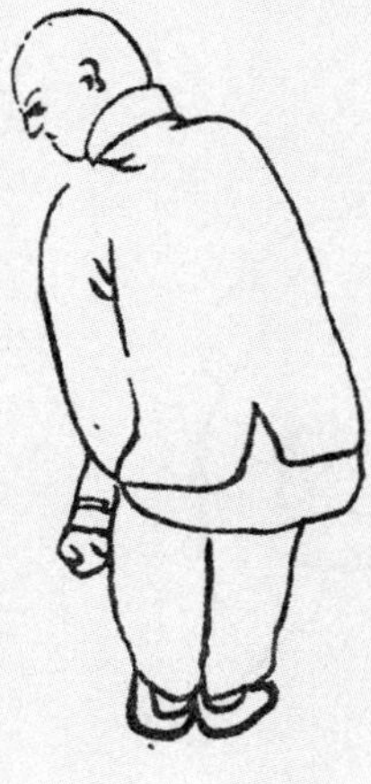

3、顺出左拳同時進左足右拳仰抱在臍

火

再進左足右足隨進一大步左足靠右脛兩膝靠緊同時收回左拳右拳由胸部鑽出復進左足順出左拳右臂即向上架右拳齊眉右肘須有裹力其要領同砲拳

5、進步作鑽拳凡三進步仍右拳在前始回身進左足右臂攔於面前竭力向裏裹隨即横翻右臂上護頭部同時身体斜向後撤左拳上移至與接近則右拳向後畫成橢圓左拳即由襠內向外鑽出名曰鷂子入林式隨之左足小進右足大進成金雞獨立式同時右拳鑽出左拳收回然後仍出左拳進左足作順步砲拳式

三、收勢　復至起点時轉身作鷂子入林式然後順步砲拳即為收勢

○第八節　燕形

燕者、最靈巧之物也、此形有躍身之法、有抄水之妙、有輕捷之靈在腹內能取腎水與心火相交、在拳能活動丹田之氣、充塞週身、拳順則四竅開精神足、腦筋強、拳謬則丹田氣滯、身体搖動而氣亦不通矣、

一、路線　燕形之路線先以兩步為一組即左足小進後右足大進再以四步為一組左足着地為一右足進為二左足復進右足跟進為三復出左足為四

二、動作　人由三体勢左足小進同時收回左手右手從左手下面伸出然後右足急進一大步同時收回右手左手再從右手下面伸出其要領概與雞形同如是連作兩次以左足前進右足連進同時提起左足左手由胸部下攔右手上舉過頂手掌向外

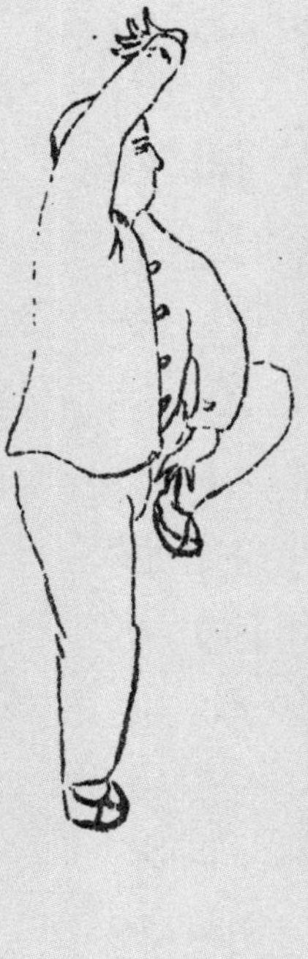

3、復進左足身体向後斜低將重點全移於右腿上左腿屈下離地少許然後急以左手順左腿抄出身即隨之而右手向後畫圓復由下向上撈打此時左手附着右腕右手掌心向上名燕子抄水式

以復進左足劈出左掌再進步作劈拳其回身與雞形回身同

三、收勢　回至起点照劈拳轉身法回身作劈拳即為收勢

○第九節　蛇形

蛇者最活潑之物也、能曲能伸能吸能放、能繞能蟠能柔能剛、在腹內即為腎中之陽、在拳為蛇形、能活潑腰中之力拳順則內中真陽、透於外部而精神煥發、拳謬則陰氣拘束、拙勁不化、身体不能活潑、心竅亦不能通徹矣、

一、路線　蛇形之路線每二步為一組勢皆斜出如圖

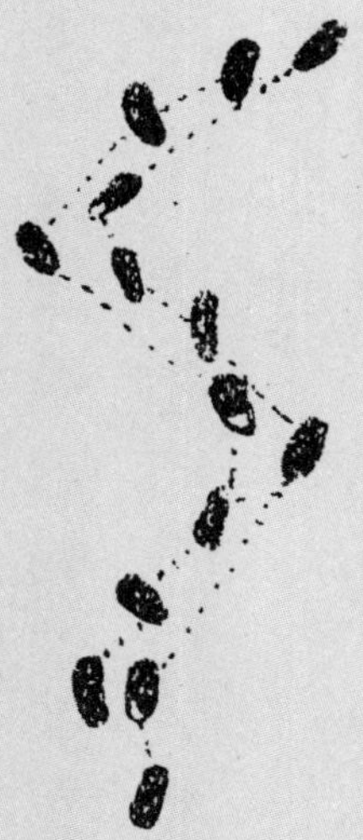

二、起勢　由三體勢左足橫出向右斜進右足跟進成剪子股式同時左掌向外撥掌心向外肘向裏裹距右肩少許右掌即從小腹向左下方鑽出此時兩掌用力務必平均至提肛挺腰垂肩尤不可忽

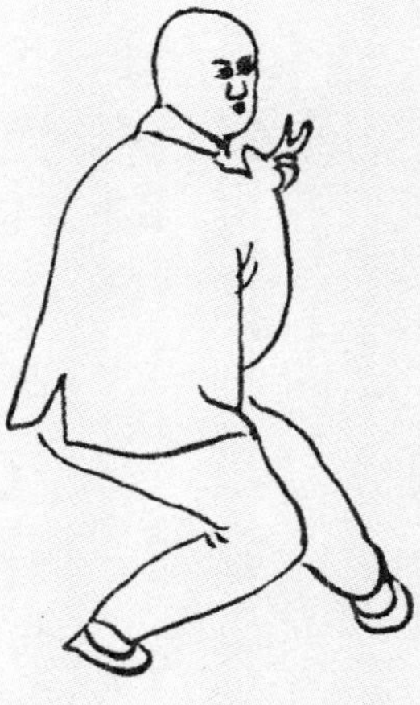

三落勢　由起勢復進右足左足跟進同時右掌隨右腿抄出掌心向側在右膝前約離一拳右肘下垂右肩雖向前伸然有向上之抗力盖此手之作用全在肩部也左掌當右掌抄出時即收在小腹掌心向下

再起落時即先進右足向左斜出其要領皆同

四、回身勢　右手前則左轉身左手前則右轉身轉時即將後足橫向後進前足跟進後手即隨後腿撥出前手收至腹際與起勢同

○第十節　鮐形

鮐之為物、性最直、氣最猛、有豎尾之精有展翅之能上起可以超升、下落足以搗物、此形在腹則通肝肺在拳則為鮐形、拳順則肝舒氣固、且能活肩活足、拳謬則肝不舒、氣不固、而兩肩亦拘滯不活矣、

一、路線　鮐形之路線與鮀形略同惟每二步為一組後足跟進着地其兩足如虎形之落勢是其不同耳如圖

二、左势　由三體势先將左掌收回兩手變拳仰抱在臍同時左足尖稍向外扭然後左足向左前進一步右足跟進當左足前進時兩臂上舉兩拳過眉拳心向前至左足着地時同時兩肘內裹兩臂畫圓兩拳復捧至腰際而錯出右拳在上兩拳心均向外其要領概與白鶴亮翅同

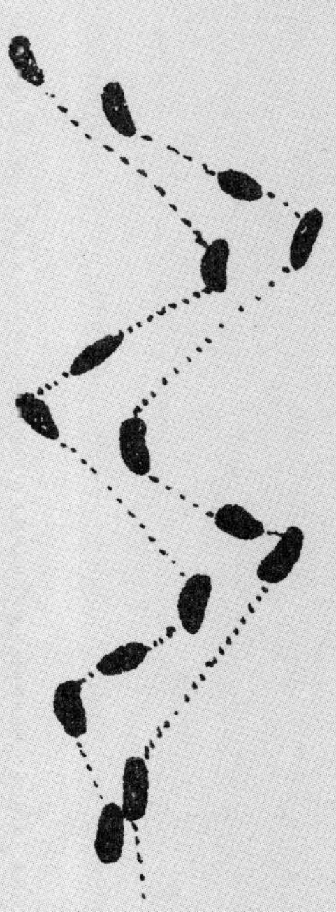

三、右勢　由左勢右足斜向右前進一步左足跟進兩臂之動作與左勢同

左右交互動作多少自便

四、四身勢　左足前則右轉身右足前則左轉身轉時以右(左)足為軸左(右)足向右(左)拘回而前進右(左)足跟兩臂仍同時動作以成右(左)勢

○第十一節　鷹形

鷹之為物、性最狠烈、其精在在爪、其神在目、有攫獲之能、其目能視微物、此形外陽而內陰、在腹能起腎中陽氣、壯於腦中、在拳則為鷹形、能復純陽之氣、拳順則真精補還於腦、而眼目光明、拳謬則真勁不能貫於四肢、陰火上升、而頭眩眼赤、學者當注意也、

一、路線　與劈拳同

二、起勢　與劈拳同

三、落勢　與劈拳同惟手似鷹捉拿之形與劈拳有劈物之意者畧有不同也

○第十二節　熊形

熊之為物、性最鈍、而形則最威猛、有豎頂之力、此形在腹能使陰氣下降、還於丹田、在拳則為熊形、能復純陽之氣、與鷹形之氣相接、上升為陽、下降為陰、二形相合、謂之鷹熊合一、

一、路線　路線與橫拳同

二、起勢　由三體勢先將左手收回如劈拳再順胸上鑽高與肩齊右拳置臍同時右足前進一步足跟對左脛骨兩足距離與橫拳同腰挺頸豎兩肩垂扣兩眼注視左拳此起勢也

熊形圖(一)

三、落勢　由起勢右手順身往上鑽出至與左手相遇再往下按如鷹捉物狀臂似曲似伸左手同時向後回至小腹處畧同劈拳左足同時前進一步右足隨進足尖着地兩眼注視右手食指此時身體似鬆似捆似開似合

四回身勢　右足前則左轉身左足前則右轉身如右足在前以兩足跟作軸從左向後轉同時右拳上鑽左掌變拳置臍成起勢再進

中編

第一章　形意合一　（雜式捶）

形意合一者。合五綱十二目統一之全體也。在腹內能使全體無虧。在拳中則四体百骸內外之勁。渾然一致。其拳順則內中之氣伸縮往來。循環無窮。充乎周身而無間。其勁不見不聞。潔內華外。洋洋流動。上下左右。無乎不在。古人云。是拳無拳。是意無意。無意之中。是真意。此之謂也。

第一節　鷂子束翅

由三體勢前進步作鷂子束翅勢要領與作法見本編第一章第七節

第二節　鷂子入林

前進步作鷂子入林勢左拳在前右拳在額其要領與作法

見本編第一章第七節

第三節　退手劈拳（左勢）

将右手由額處攞下至臍傍邊停住肘靠脇同時左手收回至左脇左足亦同時撤回至右足後方兩腿形勢如劈拳此之謂退步劈拳

第四節　退步劈拳（右勢）

先將左手鑽至頭之左額處手伸開再往下攞至臍傍邊停住肘靠脇同時右足撤回至左足後仍與左式退步劈拳同左右共作四勢停住

第五節　烏龍倒水

將右手從脇往後下方如畫一圈形從頭正額處順身往下落至臍靠住同時左手由左脇向上鑽至額齊平相離少許再將右臂抬上手心向外手背靠住正額左手順身落下手心向下靠臍身體與面向一致停住此之謂烏龍倒取水

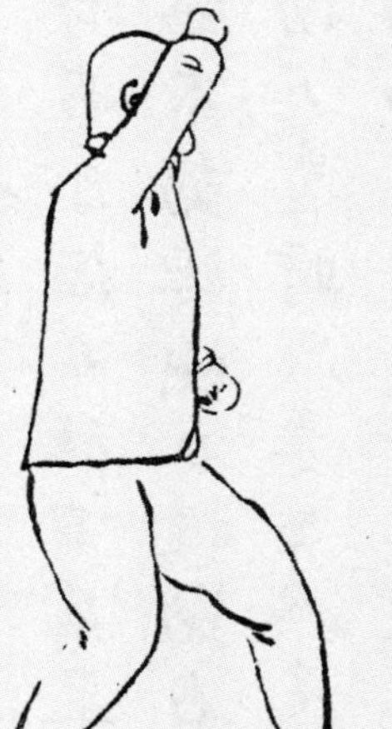

第六節　单展翅

將左足極力向後撤至右足後方落地右足隨撤至左足處右足跟緊對左脛骨同時右手極力往下落至小腹肘與拳緊靠脇腹左拳仍在左脇不動腰極力挺勁右邊小腹委於大腿上身体亦不可太彎向下看時只要鼻與足尖相齊為度身体陰陽相合肩膀扣勁兩目看右手停住再往前看此謂之单展翅

第七節　蟄龍出現

由前势右足極力向前進步左手與右足同時進出左足隨跟如崩拳身体高低亦與崩拳同此謂之蟄龍出現

第八節　順步崩拳

步法身法出手均與連環之順步崩拳同

第九節　白鵝亮翅

其動作要領與連環之白鵝亮翅同

第十節　炮拳

其動作要領與炮拳同

第十一節　雙展翅

兩手一齊收回至小腹右手握拳手心向上落在左手心中兩肘緊靠脇右足同時向後墊步足尖仍向外斜兩目向前看此謂之雙展翅

第十二節　鷂子入林

其動作身法均與前同

第十三節　退步劈拳　烏龍倒水

退步劈拳其要領如前其數目亦同前　繼作烏龍倒水

第十四節　燕形

將烏龍倒水之勢右手過來落下緊接燕子抄水其要領同前

第十五節　進步崩拳

其要領同前

第十六節　退步橫拳

與連環之退步橫拳同

第十七節　順步崩拳

其動作與要領同前

第十八節　白鶴亮翅

第十九節　砲拳

第二十節　雙展翅

第二十一節　鷂子入林

第二十二節　退步劈拳　烏龍倒水

以上數節之動作要領均與前同

第二十三節　青龍探爪

換勢將右手從正額處五指伸開向前極力伸出再換與口平兩足不動兩肩平鬆開抽勁微停出左手此之謂青龍探爪

第二十四節　鷹捉

換勢將左手從心口由右手上方伸出右手收回右脇兩足仍是原勢不動兩手伸出抽回與鷹之捉物相同故名鷹捉

第二十五節 裹手

換勢將左手如連環包裹右手仍在右脇不動其要領準連環之進步鑽拳

第二十六節 推窗望月

換勢將左手腕向外扭勁斜向外上方推去左足亦同時與左手伸出身体向下縮力兩腿如騎馬式左肩根極力懸開抽勁兩目注視左手大指食指中間右手仍在右脇不動此之謂推窗望月

第二十七節　三盤落地

換勢將左手屈回落下與腿根相平相隔一拳許手腕極力向外扭勁臂如半圜形右手亦同時與左手落下手腕向外扭勁兩臂相同兩腿仍是騎馬式兩目向左前看兩肩鬆開向外伸勁復向回抽勁腰挺肛提此之謂三盤落地如左圖

第二十八節　懶龍卧道

由前勢先將左手向前極力撑勁伸出與心口平將手握拳手腕向裏扭勁手心向上復將手如包裹勁裏回至心口臂緊靠脇右手極力同時與左手裏回由左手腕上方伸出手心向上右足亦與右手同時進出兩腿與龍形步法同兩目順右手向前看兩肩極力向下垂勁復向外開勁此謂之懶龍卧道

第二十九節　烏龍翻江

由前勢進步先進左腿與鷂子入林步法同左手由右手下方伸出同時右手收回出手與橫拳畧同兩目注視前拳此之謂烏龍翻江

如上圖

第三十節　崩拳

出右手收左手動作與崩拳同惟兩足仍是勢不動

第三十一節　龍虎相交

右足極力提起往前蹬去如畫半圜形與心口相平左手同時伸出與右足齊此之謂龍虎相交

第三十二節　順步崩拳

由前勢將右足落在前方右手伸出左手收回成順步崩拳勢

第三十三節　白鵝亮翅

第三十四節　炮拳

第三十五節　雙展翅

第三十六節　鷂子入林

第三十七節　退步劈拳烏龍倒水

第三十八節　雙展翅

第三十九節　盤龍出現

第四十節　順步崩拳

以上諸勢均與前同

第四十一節　風擺荷葉

將兩手從前方向下落順左邊如畫一圈形由目前向前雙手推出兩掌皆立與肩齊右手極力伸出左手在右肩處右足隨兩手往回進步兩腿成剪子股式兩目隨兩手注視兩肩抽勁此之謂風擺荷葉

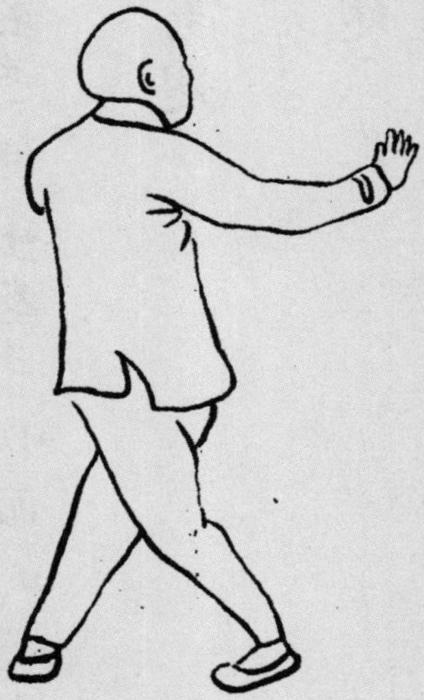

第四十二節　崩拳

由前勢將左拳從右肩向左前伸出右手亦隨之收回在右脇左足與左手同時伸出如崩拳步法惟後足不跟

第四十三節　順步崩拳

第四十四節　鷂子翻身

以上二勢其動作與要領均與前同

○第二章　形意全體大用挨身砲

形意全體大用者。二人相對之拳也。以體言之。其大無外，其小無內。以用言之。可以不見而章。不動而變。無為而成。在拳為大德小德。大德者、內外合一之勁。其出無窮小德者、如拳中之變化。生生不已也。學者倘於此深心揣摩。庶幾體用兼備。而盡形意之能事矣。

第一節

甲乙二人對拳(甲上)(乙下)

甲開勢用三體勢　乙開勢亦用三體勢

甲先以左手排出乙之左、手再出右手進步打崩拳

乙速撤右足提左足左腿緊靠右腿同時以左手推開甲之右手復進步還打崩拳

第一節一圖

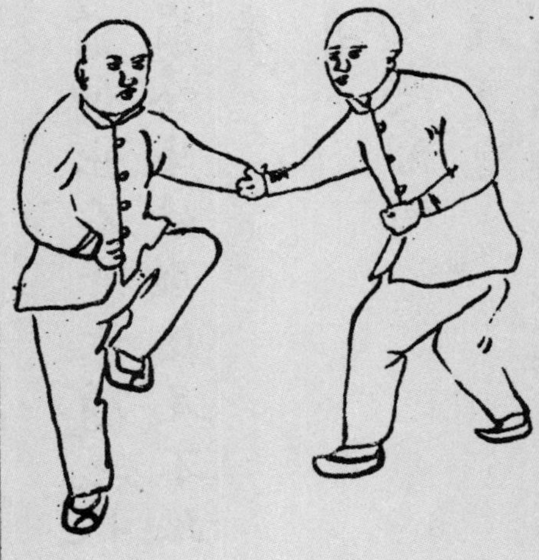

第一節二圖

第二節

甲即將右手向後拉破却乙之右手同時左手向乙之面劈去兩足不動乙即以右手架起同時左手向甲之心口打去成順步砲拳式

甲左足先墊一步右足進至乙之左足外邊同時左手曲回摟乙之左手右手向乙面劈去如劈拳

第二節一圖

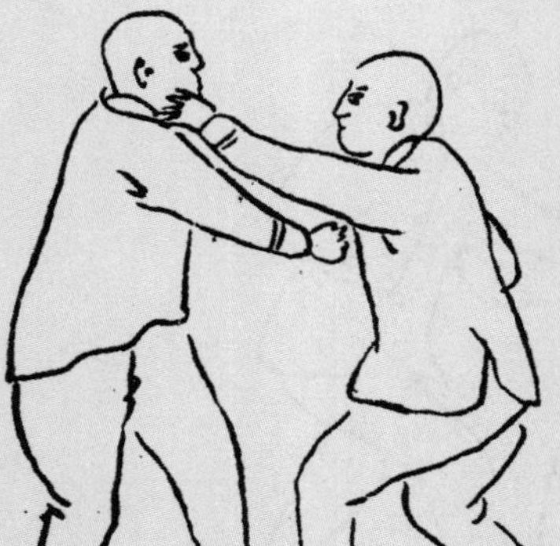

第二節二圖

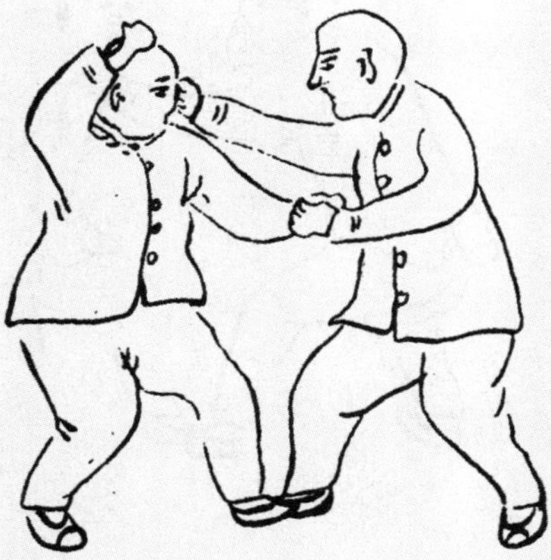

第三節

乙亦以左足墊步速進右足同時左手抽回架出甲之右手而以右手劈甲之左面

甲即將右手向裹裹勁手心向上左手腕向外扭勁離面一二寸手心向下兩手齊向乙之右臂截去同時右足向前進步

第三節一圖

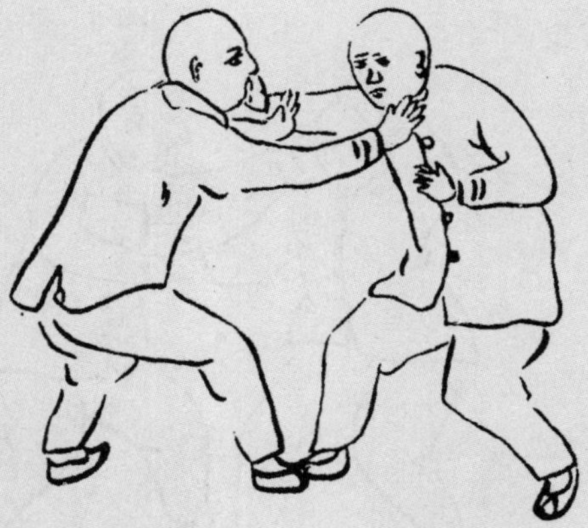

第三節二圖

第四節

乙即將左手向甲之面劈去右手拉回在心口右邊

甲即換右雙截手與左邊相同隨後用右手從自己左手下邊出去向乙之心口打去兩足仍不動

第四節一圖

第四節二圖

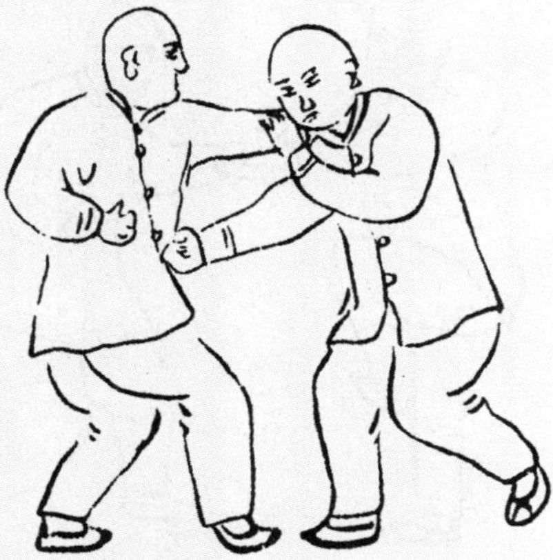

第五節

乙將左足向後撤右足提起先將右手托甲右手向後引進

落空隨後再將左手從甲之手腕底下伸去向後拉且撥即速將右手向甲心口打去右足亦同時落地拉撥打三者合成一氣不可間斷

第五節一圖

第五節二圖

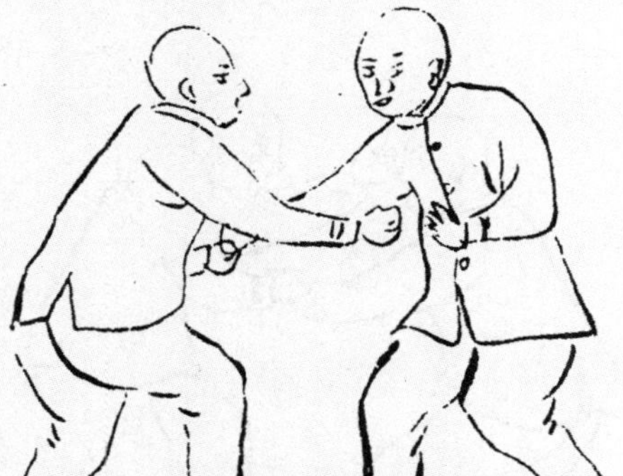

甲即向下坐腰右手在乙之右手上邊往回扣如扣物然左

抓去連扣代抓務須合成一氣為要

第五節三圖

第六節

乙即屈曲右手向甲之右手鑽去左手拉至心口處身式要低

甲速用左臂將乙右臂挑起右手抽回再向乙心口打去左足右手須同時動作與砲拳式同

第六節一圖

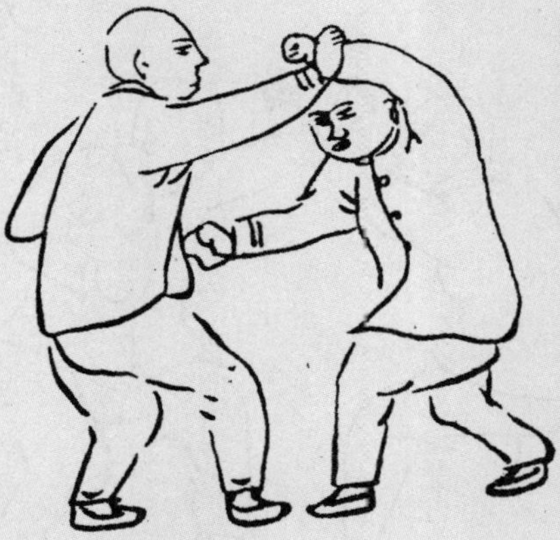

第六節二圖

第七節

乙即換退步劈拳用左手將甲之右手扣住右手抽回在心口處手心向下

甲即用左手將乙之左手摟開右手向乙之左面用手背打去同時右足進步

第七節一圖

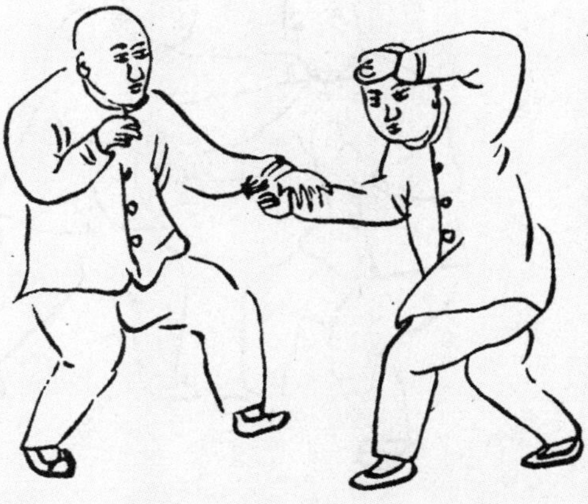

第七節二圖

第八節

乙即退右足前足隨着退謂之後代後左手挽回即速鑽出手足要同時動作

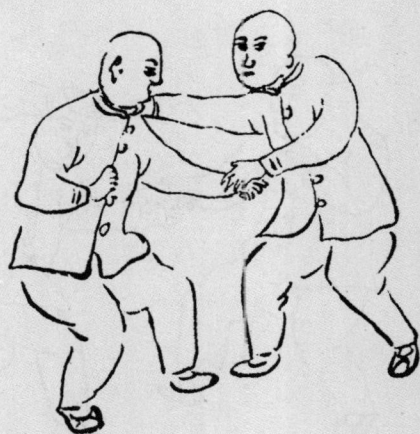

甲即速進右足跟左足將左手拍出乙之左手右手從乙臂下邊乙左面謂之偷打

第八節一圖

第八節二圖

第九節

乙即進右足向甲之兩腿當中落下先以右手拍出甲之右

手左手向自己之手前頭伸向外撥甲之右臂右手反打甲之右面同時右足前進

第九節一圖

甲即將右手屈回向乙右臂外邊鑽出右足速往後撤右手再向回拉乙右臂左手劈乙右面同時左足前進

第九節二圖

第十節

乙先撤左足用右手將甲左手掛回同時右足提起左手摟下甲臂右手往甲頭上抓去甲即將左臂屈回向乙右手裏邊鑽去隨後右臂如蛇形向乙襠內撩去同時右足進步

第十節一圖

第十節二圖

乙為十一節一圖

第十一節

乙即往後撤右足再用右手將甲右手順着摅下左手速向

甲之脖項伸去與右手同時向後按着勁拉
甲即將右手屈回往外掛乙左手再以左手向乙右頰劈去
兩足不動

第十一節二圖

第十二節

乙即將左臂抽回在脇右手即速向甲左手裏邊鑽去兩足不動

甲即抽回左手在脇右手向乙左頰劈去兩足不動

第十二節一圖

第十二節二圖

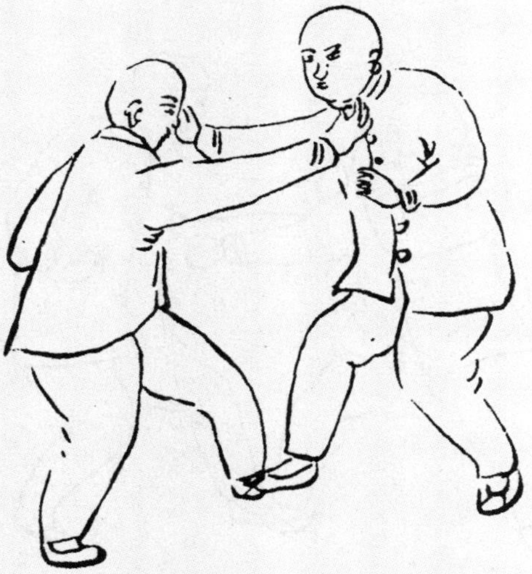

第十三節

乙即將右手拍去甲之右手隨後左手向甲右脇打去身体

換騎馬式

甲即坐腰兩足仍不動隨即兩手用猴子扐繩式一二三用右手抓去

第十三節一圖

第十三節二圖

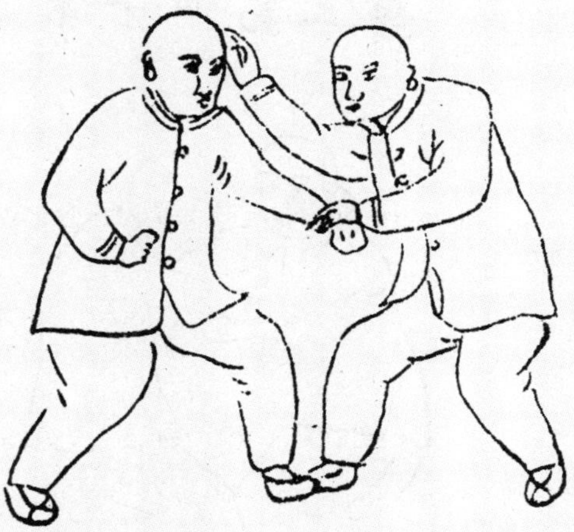

第十四節

乙即退左足右手速用鑽掌向甲右手外邊鑽去左手在左脇

甲即用左手向乙右手裹住外撥出用臂挟住再速用右手向乙左邊脖項切去左腿與手同時進步落至乙右腿外邊搏住他

第十四節一圖

同六節一圖

第十四節二圖

第十五節

乙即用凖截拳將甲右手截開兩足不動

甲即將右手抽回隨後用左手劈乙右頰兩足仍不動

第十五節一圖

第十五節二圖

甲為十五節二圖

乙為十六節一圖

第十六節

乙仍用雙截手隨後再用右手偷打甲之左脇

甲即向後坐身兩足不動左手將乙右臂順往後摅謂之順手牵羊式

第十六節二圖

第十七節

甲先不起身即用右足向乙右腿踢去右手向乙右臂扔去如扔繩然惟右足未及落地即提起左足與右手同時起落如狸貓上樹式

乙即先提右腿往後退步右手即屈回再向甲右手外邊鑽去右手在心口處

第十七節一圖

第十七節二圖

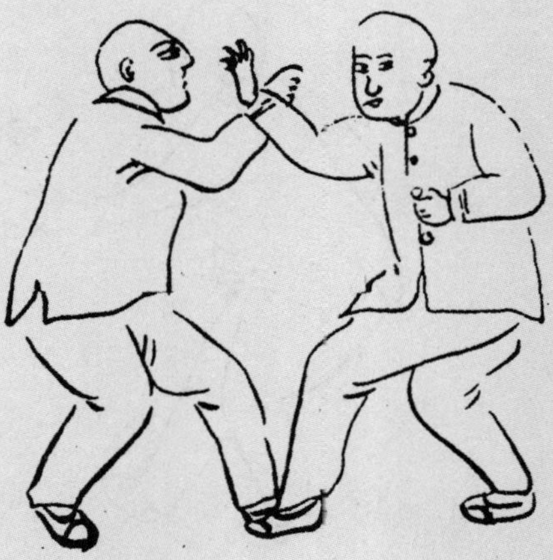

第十八節

甲即用左手挑起乙之右臂右手抽回再向乙左頰劈去兩足仍不動

乙速抽回右手在右脇處左手向甲右肩抓去謂之鷂子抓肩式

第十八節一圖

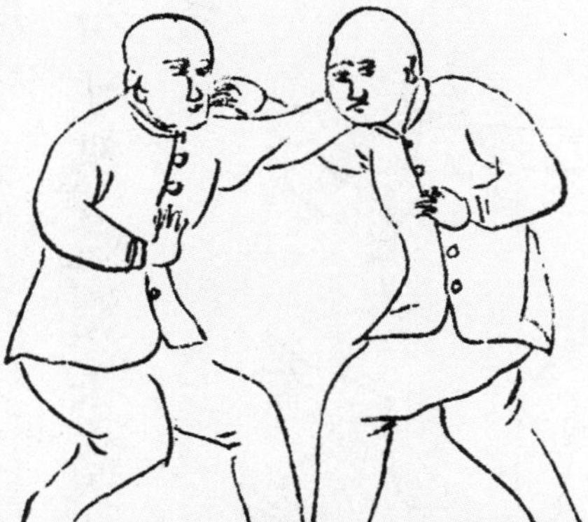

第十九節

甲先用右手向乙左手腕往外摟左手緊跟乙左手腕上邊往外推右手隨後向乙左頰劈去亦是一二三一氣兩足不動乙即將左臂屈回再向甲右手裏邊鑽去隨後往回掛右手向甲左頰劈去兩足仍不動

第十九節一圖

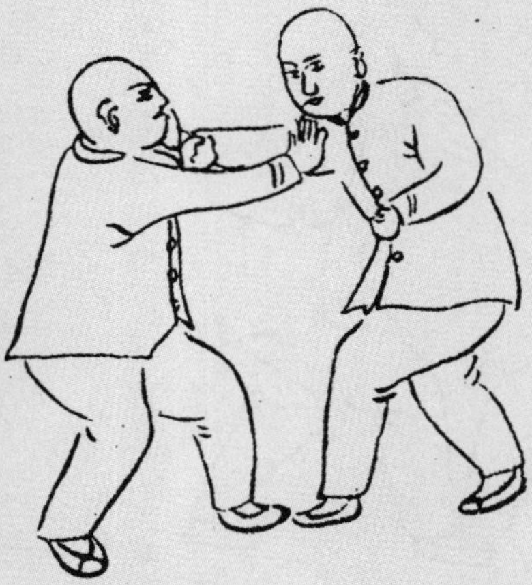

乙為二圖

第二十節

甲即用雙斬手截去乙之右手兩足不動

乙將右手抽回再用左手向甲左頰劈去兩足仍不動

第二十節一圖

第二十一節

甲再用雙斬手截去乙之左手

甲復用右手偷打仍與前雙斬手偷打同此右手打出如起

点打崩拳式

第二十一節一圖

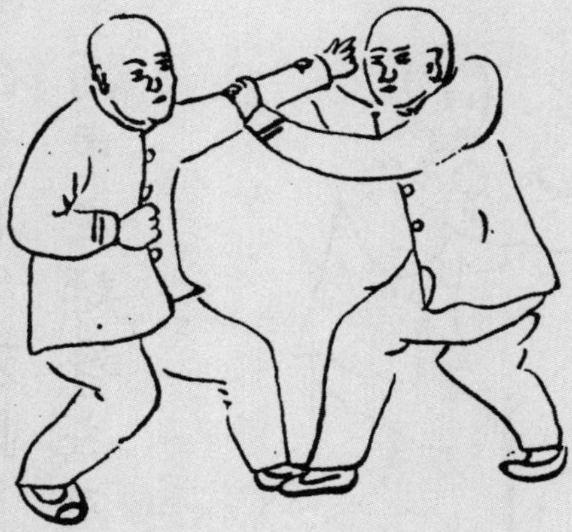

第二十一節二圖

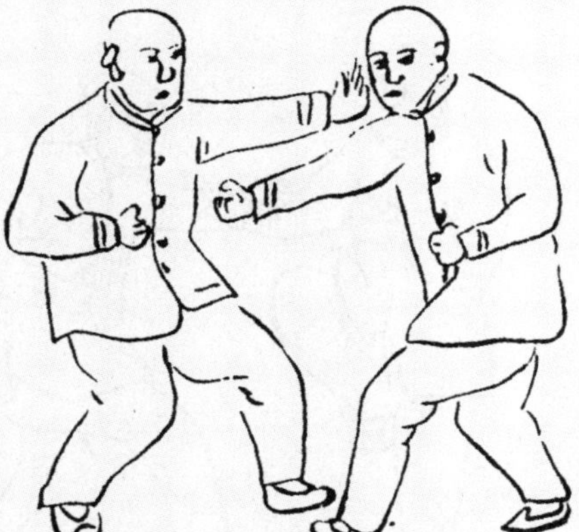

第二十二節

乙再退右足提左足用左手將甲右手向外推右手即速用崩拳向甲之腹打去此與甲起点還打之頭一手同再往回

打仍是乙為甲已來之式甲為乙已來之式循環往來不窮
若欲休息仍還起点處停住自便休息

第二十二節一圖

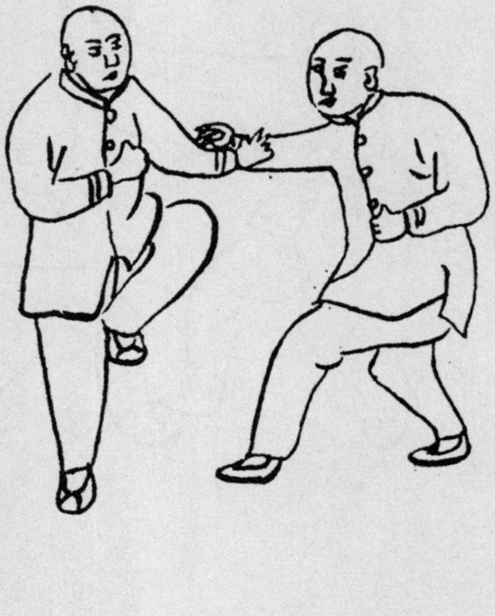

曹継武先生意拳十法摘要

○一曰三節、何為三節、舉一身而言之、手臂為稍節、腰胯為中節、足腿為根節、是也、分而言之、三節中又各有三節、如稍節之稍節、則手為稍節、肘為中節、肩為根節、中節之三節、則胸為稍節、心為中節、丹田為根節、根節之三節、則足為稍節、膝為中節、胯為根節、皆不外起隨追三字而已、蓋稍節起、中節隨、則根節要追、三節相應、不至有長短曲直之病、亦無參差俯仰之處、所以三節貴乎明也、

○二曰四稍、何為四稍、蓋渾身毛孔為血稍、手指足指為筋稍、牙為骨稍、舌為肉稍、與人相搏時、舌頂上腭、則肉稍齊、手腕足腕撑動、則筋稍齊、牙齒相合、則骨稍齊、後項撑動、則血稍齊、四稍

俱齊、則內勁發矣、所以四稍、尤其要訣耳、

○三曰五行、五行者、金木水火土也、內對人五藏、外對人五官、均屬五行、如五藏則心屬火、心急湧力生、脾屬土、脾動大力攻、肝屬木、肝急火焰蒸、肺屬金、脾動成雷聲、腎屬水、腎動快如風、此五行之存於內也、目通於肝、鼻通於肺、耳通於腎、口舌通於心、人中通於脾、此五行之著於外也、故曰五行真如五道關、無人把守自遮攔、天地交合雲蔽日月、武藝相爭、蔽住五行、真確論也、又手心通心屬火、鼻尖通肺屬金、火到金回、最宜注意、餘可類推矣、

○四曰身法、身法有八要、起落進退反側收縱是也、起落者、起為橫落為順、進退者、進走低、退走高、反側者反身顧後、側身顧左

右也、收縱者收如猫伏、縱如虎放也、大抵以中平為宜、以正直為要、與三節法相貫、不可不知、

○五曰步法、步法有寸步、佃步、快步、剪步、是也、如三尺遠寸一步可到、即用寸步、如四五尺遠即用佃步、快步者、起前足、帶後足、平走、如飛、並非跳躍而往也、猶如馬奔虎践之意也、非意成者、不能用也、緊記遠處不發足、倘遇人多、或有器械者、則速腿帶足並剪而上、即所謂跺足二起鴛鴦脚是也、善學者隨便用之、總不可执、習之純熟、用於無心、方盡其妙、

○六曰手足法、手法者、单手、雙手、起手、拎手、是也、起前手、如鷂子入林、須束翅束身而起、推後手、如燕子抄水、往上翻、藏身而落、此單手法也、如双手、則两手交互並起並落、起如舉鼎、落如分

研也、至於筋稍發、有起有落者、謂之起手、筋稍不發、起而未落者、謂之拎手、總之直而非直曲而非曲、肘護心肋、手撩陰起、而其起如虎之撲人、其落如鷹之抓物也、○足法者、起躦落翻、忌踢宜踩、蓋足起膝起望懷、膝打膝分而出、其形上翻、如手起撩陰是也、至於落、即如以石攢物也、亦如手之落相同也、忌踢者、一踢渾身都是空也、宜踩者、即如手之落鷹抓物也、手法足法、本自相同、而足之為用、尤必知其如虎之行無聲、龍之行莫測也

○七曰上法進法、上法以手為妙、進法以步為先、而總以身法為要、起手如丹鳳朝陽是也、進步如搶上搶步、進步踩打是也、必須三節明四梢齊、五行斂、身法活手足相連、內外一氣、然後渡

其遠近、隨其老嫩、一動而即至也、然其方法有六、六方者、工、順、
湧、急、恨、真也、工者巧妙也、順者、順其自然也、湧者果斷也、疾者、
緊急快也、恨者、不容情也、心一動而內勁出也、真者發心中得
見之真、而彼難變化也、六方明、則上法進法得矣、
○八曰顧法、開法、截法、追法、顧法者、単顧、双顧、顧上下、顧左右前
後也、如単手顧、則用截捶、双手顧、則用橫拳、顧上則用冲天炮、
顧下則用掃地炮、顧前後、則用前後掃捶、顧左右、則用塡透炮、
拳一觸即動、非若他們之拘連掤架也、○開法者、有左開右開剛
開柔開也、左開如裏塡、右開如外塡、剛開如前六藝之硬勁、柔
開如後六藝之柔勁也○截法者、有截手、截身、截言、截面、截心、
也、截手者、彼手已動而未到、則截之、截身者、彼微動、而我先截

也、截言者、彼言漏其意、則截之、截面者、彼面漏其色而截之、截心者、彼目笑眉喜、言其意恭、我須防其有心、而迎機以截之也、則截法豈可忽乎哉、○追法者、與上法進法貫注一氣、則隨身緊超、追風赶月不放鬆也、彼雖欲走而不能、何憲其邪術哉、

○九曰三性調養法、何為三性、蓋眼為見性、耳為灵性、心為湧性、此三性為藝中之妙用也、故眼中不時常觀察、耳中不時常報應、心中不時常驚醒、則精灵之意在我、所謂先事預防、不至為人所算、而無失機之悞也、

○十曰內勁夫內勁者、寄於無形之中、而接於有形之表、可以意會難已言傳者也、然其理則可參焉、蓋志者氣之帥也、氣者体之充也、心動而氣則隨之、氣動而力則赶之、此必然之理也、有

謂為創勁者、非也、有謂為攻勁崩勁者亦非也、殆實粘勁也、窃思創勁太直、而難起落、攻勁太死、而難變化、崩勁太拙、而難展招、皆強硬漏形而不靈也、粘勁者先後天之氣、日久練為一貫也出沒甚捷、可使日月無光而不見形、手到勁發可使陰陽交合而不費力、總之如虎之登山、如龍之行空、方為得體、以上十法、練為一貫、而武藝不已成乎、吾會其理、摘其要而釋之、以為後學者訓、

結論

聞子不語力、固尚德不尚力之意也、然夾谷之會、必用司馬、且曰吾門有由、惡言不入於耳、是武力誠不可少也、於是顧其身家、保其性命、有拳尚為拳之種類不同、他門亦不悉創自何人、惟此六

合意拳則出自宋朝、　岳武穆王、嗣後金元明代、鮮有其技、至明末、有山西姬隆風先生、遍訪名師、至終南山、曾遇異人、以岳王拳譜傳授、先生自得斯譜、如獲至寶、朝夕摩練、盡悟其妙、而先生濟世心切、尤慮人民處於亂世、出則持器械以自衛、尚可、若夫太平之日、刀兵伏鞘、倘遇不測、將何以禦之、是除學練技擊外無他法也、於是盡傳其術、於六合意拳、變為十二勢、十二勢仍歸於一勢、又曰三回九轉、是一勢、且又有剛柔之分也、剛者在先、固徵其異、柔者在後、尤奇其妙、亦由顯入微、由粗入精之意也、觀世之練藝者、多惑於異端之說、而以善走為奇、亦知此拳有追法乎、以能閃為妙、亦知此拳有截法乎、以左右封閉為得力、亦知此拳有動不見形、一動即至、而不及封閉乎、其能走能閃能閉能封、亦必自有所見、而能然也、其於晝間遇敵、尚可徼倖取勝、若黑夜之間、偶逢賊盜猝遇仇敵、不能見其所以來、將何以閉而避之、不能見其所以動將何以封而閉之乎、豈不反悞自身也、惟我六合意拳練上法顧法開法於一貫、而其機自靈其動自捷、雖黑夜之間、風吹草動有觸必應、並不自知其何以然也、獨精於斯者自領之耳、然得姬老師之真傳者、只有鄭師一人、鄭師於拳鎗刀棍無所不精會通其理、因述為論、乃知一切武藝皆出於拳內也、但世之學六合意拳者、亦各不同、豈其藝之不同、究未得授真傳、故差之毫釐、繆之千里、而況愈傳愈訛、且不僅毫釐耳、余幸得學於鄭師之門、以接姬老師之傳者也、故法頗精、而余得之尤詳、就其論而釋之著為十法摘要、非敢妄行諸世、余意在保姬師之傳、亦聊以誨與後

進之人云爾、曹繼武識、

岳氏意拳十二形法精義終

岳氏意拳五行十二形法精義

上下兩册定價銀洋壹圓

原述者 直隸 深縣 李存義

編輯者 山西 太谷 董秀升

校對者 山西 清源 李立訓

印刷者 山西 太原 範華製版印刷廠 電話二四號

總發行 山西 太谷 董秀升 現寓太原省城純陽宮十四號

經售處 山西 太原 範華製版印刷廠 晉新書社

八字功

第四編　功拳

形意拳皆以五行十二形為體其餘為用功拳者形意致用之學也學問之道必體用兼備方為上乘惟拳術亦然學者慎勿視此編為河漢也

第一章　八字功

八字功之名稱亦猶五拳之劈鑽崩砲横八手之纏丁抵搗磨立滚鑽因其形式精神而定為符號也曰展曰截曰裹曰跨曰挑曰頂曰雲曰領其各字意義於各節中詳之

八字功有總合練習法有分别練習法分别法每字為一段名曰某字功一左一右互換為之至無可進而回身回身後仍然一左一右至開勢處而止勢數之多寡不拘總合法有單勢總合法名曰八字

單合功有雙勢總合法名曰八字雙合功均附於後

八字功出勢用雞形起勢回身轉身均用虎托收勢用退步横拳回身云者至彼端而回身也轉身云者至開勢處而身轉也兩者相同而地異耳

第一節　展字功

展者寬展之義即拓張手足也左右各三勢後二勢皆連續用者出反之路線如左

1、2、鷄形　3、4、虎托　5、6、展勢　7、8、鑽拳　9、10、崩拳

11、12、展勢　13、14、鑽拳　15、16、崩拳

展勢圖

一、展勢

左骹稍進右拳掩至左肩右骹稍撤提身轉面西左拳起至頭上腕曲拳陽右拳隨右骹落進骹叉脚橫拳扣翻左骹紲眼右視（如上圖）

鑽拳圖

二、鑽拳

右轉身右脚順進紲右拳陽出齊眉左拳陽置臍左骹稍跟支

（如上圖）

崩拳圖

三、崩拳

右骸進左拳自肘下打出左骸隨進右骸跟右拳陽置肋（如上圖）

第二節　截字功

截裁也以裁退敵手也此節最見身法掩肘宜速後勾要直滾手要速路線如左

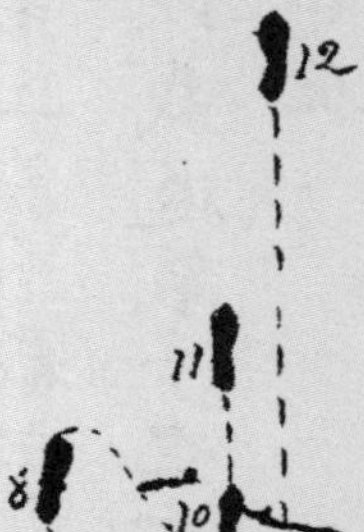

1、2、鷄形 3、4、虎托 5、6、截勢 7、8、滚手 9、10、截勢 11、12、滚手

一、截勢

左骹斜進右肘掩小指外扣右骹斜進左手平置身後作勾勢低（如上圖）

截勢圖

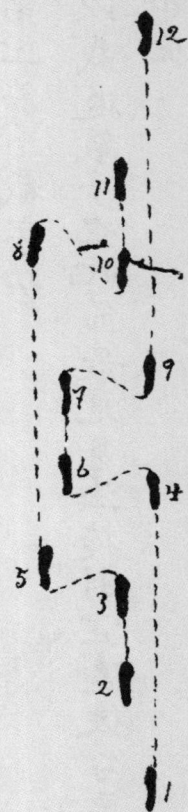

滾手圖

二、滾手

右骹進右手外翻裹扣左骹隨進左掌自右肘下打出左掌落前右掌置腕後

（如上圖）

第三節　裹字功

裹圍裹也裹敵手使失其效用也身旋力柔有以柔剛之妙

路線如左

1.2.雞形 3.4.虎托 5.6.7.8.裹勢 9.推掌 10.11.12.13.裹勢 14推掌

裹勢圖

一、裹勢

左骰斜進右掌陽插左肩下兩肱力束右骰轉進兩掌隨身轉至身右如抱物狀左骰跟提起

（如上圖）

二、推掌

左骽落進縱兩手翻掌外推兩肱圖左右指尖相對左骽支

（如上圖）

第四節　跨字功

跨如跨馬之跨言其形也實則托跨之勢路線如左

1、2、雞形　3、4、虎托　5、6、7、跨勢　8、9、鑽右掌　10、鑽左掌

11、12、13、跨勢　14、15、鑽左掌　16、鑽右掌

合肩圖

一、合肩

左骸斜進右掌陽插左肩下兩肱力束右骸撤並左骸腳提面東

（如上圖）

二、跨勢

右骹進脚橫身右轉左骹進右掌上起至額左掌外摑敵脇兩骹方形曰跨馬勢（如左圖）

跨勢圖

三、鑽右掌

左骹進左掌平扣右骹進右掌鑽出左骹進並右骹脚提左掌置肘下（如左圖）

鑽右掌圖

鑽左掌圖

四　鑽左掌

左骽進左掌鑽出右掌置肘前掌四骽雞形

（如上圖）

第五節　挑字功

挑之力在肩與骽右手挑右脚猛開左骽力撐而肩亦得用力焉與蛇形相類而手稍高路線如左

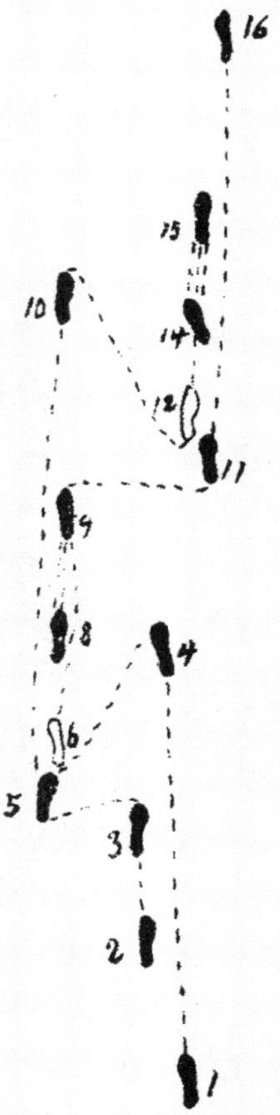

1、2、雞形
3、4、虎托
5、6、合肩
7、挑勢
8、撤掌
9、挑掌

10、鷹捉
11、12、合肩
13、挑勢
14、撤掌
15、挑掌
16、鷹捉

合肩圖

一、合肩

左骸斜進右掌陽插左脇左掌置肩上兩肱力束右骸撤丞左骸脚提蹲身面東

（如上圖）

二、挑勢

兩手兩足猛開右掌，齊頭左掌陰置肋右骸絲左骸支

（如左圖）

挑勢圖

三、撤掌

左掌置右腕下右掌與左骸同撤掌撤至臍骸撤串步蹲身

（如左圖）

撤掌圖

四、挑掌

右骽進右掌挑左掌撤陰至臍前（如左圖）

挑掌圖

五、鷹捉

右掌不動右骽稍進左掌自右肩上順進左骽隨進两掌下扣作捉物狀（如左圖）

鷹捉圖

第六節　頂字功

頂之力在頭故此勢以挺頸垂肩為要訣掩手崩拳所以換勢者故並及之路線如左

1、2、雞形　3、4、虎托　5、6、頂勢　7、8、平推　9、掩手　10、崩拳

11、12、頂勢　13、14、平推　15、掩手　16、崩拳

一、頂勢

左掌陽插右肘下兩掌裹扣變陰拳下落十字插掌時右骽進裹扣時左脚提下落時左脚落進頭上頂肩下垂（如左圖）

頂勢圖

二、平推

左骽進兩拳分掌前推右骽進絀手腕相對（如左圖）

平推圖

三、掩手

兩掌變拳身撤右骰隨左拳撤置脇右肘左掩小指外翻

（如左圖）

掩手圖

四、崩拳

左骰進左拳自肘下打出右骰跟右拳陽置肋

（如左圖）

崩拳圖

第七節　雲字功

說文雲从雨云象雲回轉形今所用者即借其回轉之說也其兩掌與左右捋皆如行雲之飄馬路線如左

1、2、雞形　3、4、虎托　5、6、雲勢　7、8、右捋　9、左捋　10、11、雲勢

12、13、左捋　14、右捋

一、雲勢

右手陽插左肩窩右骸斜進左骸進並右骸脚提左掌自頂繞轉（如左圖）

雲勢圖

二、右捋

左掌繞至右耳上右掌隨之兩掌同時變拳右捋左拳前陽右拳後陰左脚仍不落地隨身稍轉（如左圖）

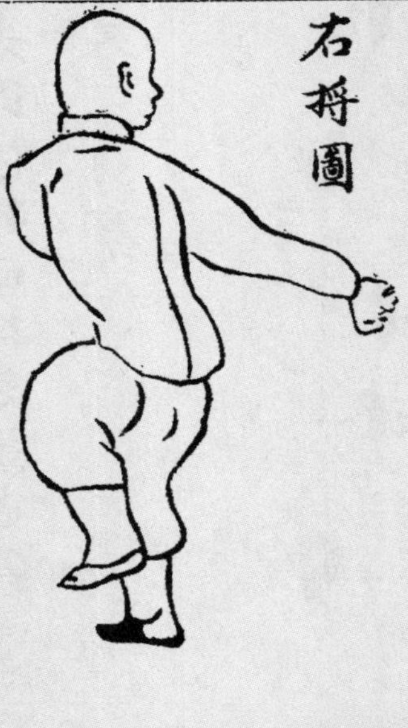

右捋圖

左捋圖

三、左捋

兩掌由右繞至身前左脚落進左捋右拳前陽左拳後陰

（如上圖）

第八節　領字功

領受也順勢而領取也首勢已盡其意矣虎托與三掌皆以顧身後者路線如左

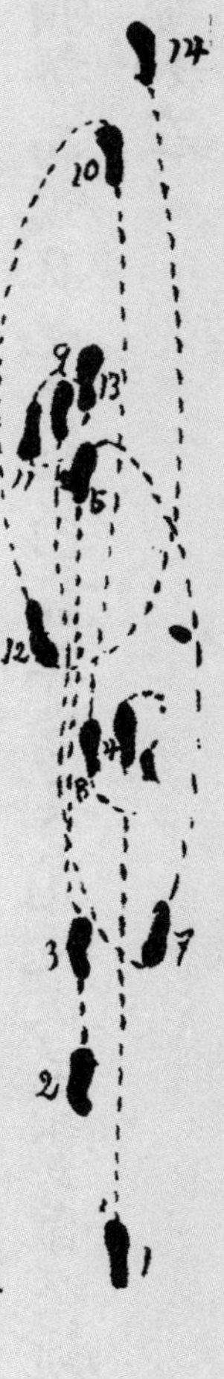

1.2、雞形　3.4、虎托　5.領勢　6.7、轉身虎托　8.9、轉身三掌退掌

10、領勢　11.12、轉身虎托　13.14、轉身三掌退掌

領勢圖

一　領勢

右手鑽出左腕兩手變掌左股進手後捋右拳前陽左拳後陰

（如上圖）

二、轉身虎托

身右轉右脚順右掌自腰間翻扣左骽進紲左掌自右腕下打出左骽支（如左圖）

轉身虎托圖

三、轉身三掌

身右轉右脚順右掌仰扣左骽進紲左掌覆扣右掌盖頭右骽支（如左圖）

轉身三掌圖

退掌圖

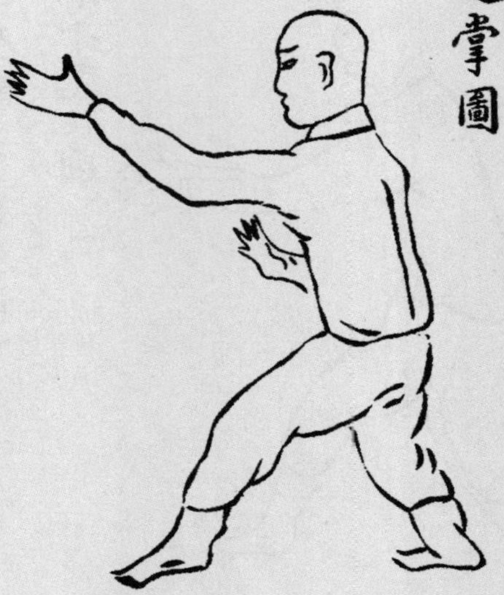

四、退掌

兩脚不動左掌打出右掌撤置肋身蹲左骰稍絀

（如上圖）

形意拳十二形精义

（封面）岳氏意拳十二形精义①

注 释

① 岳氏意拳十二形精义：李存义原述，董秀升编辑。原作分为《岳氏意拳五行精义》《岳氏意拳十二形精义》上下两册，1934 年由晋新书社刊行。本书将两册分别校注出版。

健身强国

秀升大兄属题

榆次常赞春[1]篆

注释

① 常赞春（1872—1941 年），字子襄，山西榆次人。清光绪二十八年（1902 年）中举，宣统元年（1909 年）考入京师大学堂，师从林纾等经学大师，授文学士。民国七年（1918 年）授国会众议院议员。终身从事教育及文化事业，谆谆善导，著作等身，桃李满三晋，为著名教育家、国学家、文学家和书法家。

尚武精神

秀升大兄属

梁成哲题

目 录[1]

下编

注 释

① 目录：原书目录与正文有不统一的情况，在此按正文改正统一。

岳氏意拳原序[①]

天下之治道有二：曰德，曰威；天下之学术有二：曰文，曰武。然武之所重者，技艺也。况国家讲礼有法，蒐苗狝狩[②]，各有其时，而其间精微奥妙，各有不容率意妄陈者。余尝拟著为论，公诸同好，特恐言语不精，反悮[③]后世，此心耿耿，曷其有极[④]。兹见岳武穆王拳谱，意既纯粹，语亦明畅，余爱慕之忱，急录之为志。王讳飞字鹏举，河北相州汤阴人也。父早卒，事母至孝。少负节气，优于将略，刚毅多谋，家贫力学，尤好《左氏春秋》[⑤]。其志勇绝论[⑥]超群，当时名将无比。及长，应募于东京留守，与宗泽[⑦]谈兵，曰：如将军者，方可与言孙吴[⑧]。屡尚战功，遂成大将。善以少击众，自率八百人，破王善[⑨]等五十万众与[⑩]南董门[⑪]；八千人破曹城[⑫]等十余万于桂岭；其战兀术[⑬]于顺昌，则皆后蒐[⑭]八百骑，大破金兵于朱仙阵[⑮]，又帅五百人破金兵十余万众。有所举，必谋定而后战，故有胜无败。猝遇敌不动，故敌为之语曰：撼山易，撼岳将军难。张俊[⑯]常问用兵之术于王，王曰：仁、信、志、勇、严，缺一不可。平生好贤礼士，博览经典，雅歌投壶[⑰]，恂恂然[⑱]如书生。每战胜必辞功曰：将士效力，飞何功之有？忠愤激烈，议论持正，不挫于人卒，以此为祸。余为宋深惜之。

王当童子时，受业于少林侗[19]大禅师，精通枪法，以枪为拳，立一法，以教将佐，名曰意拳。神妙莫测，盖从古未有之技也。王以后金、元、明数代，鲜明其技，独我姬公，名际可，字隆风，先生于明末清初，为蒲东诸冯人氏，访名师于终南山，得岳武穆王拳谱。后授余师曹继武先生于秋蒲[20]，时人不知其武勇。先生习练十有二年，技勇方成。清康熙癸酉年[21]科联捷三元，钦命为陕西靖远总镇大都督之职。到任归籍，余游至池州，先生以此拳授余，学三十自寒暑，先生曰：子艺成矣。命余回晋，至洛阳，遇学礼马公[22]，书于谈势甚洽，嘱余为序。余不文，焉能为序！但见世有勇敢之士，未尝无兼人之力，及观其艺再叩其学手不应心，语不合道者何也？不得个中正真传[23]故耳。所谓真传者，名曰武，其实贵和。和者，智与勇顺成自然之理也，而非近世所习捉拿、拘[24]打、封闭、闪展、逞其跳跃悦人耳目者之可比。其意拳大要，不外五行、阴阳、起落、进退、动静，虚实，而其妙又须六合。六合者何也？分内三合、外三合。内三合：眼与心合，心与意合，意与气合；外三合：手与足合，肘与膝合，肩与胯合。内外如一，称其六合。苟能日就月将[25]，智无不圆[26]，勇无不生。得乎智之理[27]，会乎和之精[28]，自然能去能就、能弱能强、能进能退、能柔能刚，不动如山岳，难知如阴阳，无穷于天地，充足如太仓，浩渺如江海，眩曜如三光。[29]以此视近世之演武者，异乎？不异乎？

同乎？不同乎？学者可不详辩欤？是为论。

中华民国二十三年六月下旬

山西太谷董秀升录于省垣之寄庐

注 释

① 岳氏意拳原序：此序是董秀升录戴龙邦自抄谱原序，但未录原序落款。戴龙邦于池州从曹继武学，艺成返晋途经洛阳时，应同门马学礼之请而为其拳谱作序，后移于自抄谱。自抄谱篇末署："时在乾隆十五年岁次庚午荷月，书于河南洛阳马公书屋"。此序为心意拳最早的文字资料之一，武术研究学者虢筱非曾做校注，提出五点存疑之处，尚待进一步考证。

② 蒐苗狝狩：蒐，音 sōu，古时指春季之猎；苗，古时指夏季之猎；狝，音 xiǎn，古时指秋季之猎；狩，音 shòu，古时指冬季之猎。蒐苗狝狩，古时分别指春、夏、秋、冬四季之猎。

③ 悮：音 wù，同"误"。

④ 曷其有极：何时达到尽头。

⑤《左氏春秋》：即《左传》，全称《春秋左氏传》，儒家十三经之一。《左传》是中国第一部叙事详细的编年史著作，相传是春秋末年鲁国史官左丘明根据鲁国国史《春秋》编成，主要记载了东周前期各国政治、经济、军事、外交和文化方面的重要事件和重要人物，是研究我国先秦历史很有价值的文献，也是优秀的散文著作。

⑥ 论：古同"伦"。

⑦ 宗泽：宋朝名将。宗泽在任东京留守期间，曾二十多次上书宋高宗赵构，力主还都东京，并制定了收复中原的方略，均未被采纳。他因壮志难酬，忧愤

成疾而卒。

⑧ 孙吴：古代兵家孙武和吴起的合称，此处借指兵法。

⑨ 王善：南宋叛军将领。

⑩ 与：原文误作“与”，据文义当为“于”。

⑪ 南董门：《宋史·岳飞传》作“南熏门”，应从《宋史·岳飞传》。

⑫ 曹城：《宋史》作“曹成”，南宋叛军将领。应从《宋史》。

⑬ 兀术：完颜宗弼，别名兀术，金国人，女真族，金朝的开国功臣，曾任金国太师、太傅、沈王、都元帅。完颜宗弼文韬武略，在女真崛起的过程中起了很大的作用，是女真族史上的英雄。

⑭ 后蒐：《宋史》作“背嵬”，即“背嵬兵”，古大将之亲随军。原文“蒐”误，应为“嵬”，音 wéi。

⑮ 阵：原文误作“阵”，系“镇”之误。

⑯ 张俊：南宋将领。

⑰ 雅歌投壶：语出《后汉书·祭遵传》：“对酒设乐，必雅歌投壶。”投壶，古代宴会礼制，也是一种游戏，方法是以盛酒的壶口作为目标，用矢投入，以投中多少决胜负，负者须饮酒。雅歌投壶，形容举止文雅。

⑱ 恂恂然：恭谨温顺的样子。恂，音 xún。

⑲ 侗：周侗，北宋末年武术大师，以善于箭术闻名。岳飞之师。正史作“周同”。《宋史》载：“（飞）学射于周同，尽其术。”

⑳ 秋蒲：安徽池州府，今属安徽贵池。

㉑ 清康熙癸酉年：康熙三十二年，公元 1693 年。

㉒ 学礼马公：马学礼，河南人，清代武术家，河南系心意六合拳祖师。马学礼师承不详，一说为山西姬际可。

㉓ 个中正真传：原文误作“个中正真传”，“正”系衍字，应删除。

㉔ 拘：同“勾”。后同。

㉕ 日就月将：每天有成就，每月有进步。形容精进不止。

㉖ 智无不圆：智虑无不周到、通达。

㉗ 得乎智之理：得到智慧运用拳术的奥妙、原理。

㉘ 会乎和之精：融多种原理、法则为一体而成精华。

㉙ 能去能就……晄曜如三光：此句语出《三国演义》。董本语序与其文字略有不同。“无穹”，系抄误，当为“无穷”。曜，音 yào。

上 编

岳氏意拳十六要诀

十六者，即一寸、二蹦[①]、三攒、四就、五夹、六合、七疾、八正、九经、十惊、十一起落、十二进退、十三阴阳、十四五行、十五动静、十六虚实。

一寸是步也。二蹦是腿也。三攒是身。四就是束身，上下束而为一也。五夹是剪，两腿行如剪也。六合是内外六合也，手与足合，肘与膝合，肩与胯合是外三合也；眼与心合，心与意合，意与气合，是内三合也。内外如一称其六合也。七疾是毒，眼毒、心毒、手毒也。八正是直也，看斜是正，看正是斜也。九经是手摩内五行也。十惊是惊起，四稍[②]要齐也。十一起落，起是去，落是打。起亦打，落亦打，起落如水之翻浪也。十二进退，进步要低，退步要高。不知进退枉学艺也。十三阴阳，看阴而有阳，看阳而有阴也。天地之阴阳相合则雨，拳之阴阳相合能成一气也。十四五行，内五行要动，外五行要随也。十五动静，静为本体，动为作用。若言其静，未漏其机，若言其动，未见其迹，静中触动，动犹静也。一切变化，皆动静之妙也。十六虚实，虚是精，实是灵，精灵皆有，称其虚实也。

注释

① 蹦：同“践”。后同。

② 稍：同“梢”。后同。

形拳原理[1]

形者，天地化生万物之形也。万物生于天地，各得其一体，虽间有偏而不全，然亦能各尽其性，以随时起止，而不稍负其形。人为万物之灵，享受独厚，心思形骸耳目手足，聪明睿智，才力气魄，广大精奇，无所不备，足以配天地，本神明，赞化育。故孟子曰：万物皆备于我[2]。若舍形骸而不治，弃聪明而不用，是辜负天地赋我之形，谚之所谓错受人形也。孟子曰：惟圣人然后可以践形。形拳者，亦践形之一端也。

注释

① 原文此标题前“上编”两字多余，删去。

② 万物皆备于我：语出《孟子·尽心上》。东汉赵岐注：“物，事也；我，身也。”本句大意是，世界上万事万物之理已经由天赋予我，在我的性分之内完全具备了。

十二形[1]

十二形者，一曰龙，二曰虎，三曰猴，四曰马，五曰鮀[2]，六曰鸡，七曰鹞，八曰燕，九曰蛇，十曰骀，十一曰鹰，十二曰熊。盖诸物受天地之精，各得其一体，其形虽偏，然绝利一源，独得天地之妙，且形虽十二，却能该[3]括万物之理，实为万形之总纲。吾人倘能尽十二形之妙，即尽万形之妙矣，况万物舞蹈，常法人形，而人反不能格万物之理以全其形，则人不如物矣，夫岂可哉。

注 释

① 原文此标题前“第一章”三字多余，删去。

② 鮀：保定本、孙禄堂《形意拳学》均为“鼍”。

③ 该：原文误作“该”，系“概”之误。

第一节 龙形

龙为最灵最神之物，有升降之形，为刚柔之体，有搜骨[1]之法，有大小之化。其劲起于承浆之穴（即唇下陷坑处），与虎形之气轮回相接。[2]其拳顺则心火下降，身体灵活；其拳谬则阴火烧身，绝无活泼之希望。学者不可忽也。

一、开势（即三体势）

与上册[3]上编第一章第五节同一要领，如下图（图 1）。

图 1　三体图

二、起势[4]

由三体势左足尖向左斜横，足心离地，右足扭直，足掌着地，足跟提起，两手如劈拳，但右手前出，左手收回，身体伏下，小腹置于左腿上，两目注视右手食指，手与心齐平，如龙下降之形。此时，胯裹腰挺，肛提肩垂，心平气和，不可努力助长。（图 2）

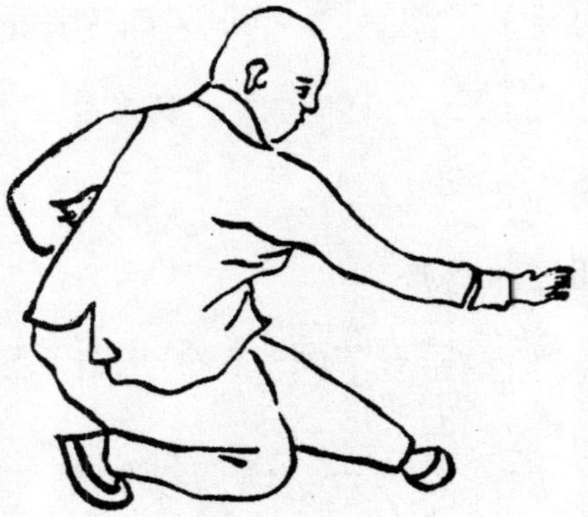

图2　龙形一式图

三、换势[⑤]

由前势将右手收回，如劈拳要领将左手劈出，同时腰中挺劲，身向上腾，两足前后更换，如龙升天之形。落下时，四梢要齐，与前势同。但更换时，头随身向上顶，眼随手向上看，下颏前伸上提。如此反复动作，数之多寡不拘。（图3）

图3　换势图

四、收势

收势仍还于起势，右手左足在前稳住，将左手伸出，右手收回，成三体势停止。

注 释

① 搜骨：在此有聚集、回缩、深入的意思。龙有升降、起伏、伸缩之变化，故练习龙形有松开关节、抻筋拔骨，使真气收敛入骨的功效。

② 其劲起于……轮回相接：龙形之劲起于承浆，即任脉起点，其气下降，而虎形之气起自督脉之起点长强穴，其气自下上升，所以龙虎二形一前一后，一降一升，二气轮回相接。

③ 上册：指《岳氏意拳五行精义》，后同。

④ 起势：接三体势，左手下落回抓至心口变阳拳，向前上方钻出，高与鼻齐，右手同时也变阳拳置于脐下。同时左足微抬起，足尖向左斜横。紧接着左足（前足）落地，右足（后足）扭直足跟离地。同时右拳顺着左臂内侧劈出下按，左拳变掌撤至左胯旁，臂成弧形。两掌下按的同时身体向左转略向前俯，成坐盘姿势，两掌心向下，眼看前手（右掌）。

⑤ 换势：右手回抓变拳，经腹、胸、下颏向前上方钻出，左手同时变拳。同时身体向上跃起，两足用力蹬地，在空中换成右前左后的交叉步。左拳顺着右臂内侧劈出下按，右拳变掌撤至右胯旁。两掌下按的同时身体右转下蹲成坐盘势。要点：身体上腾时，要与两臂上钻动作一致；下落时要和两掌下劈动作一致；两足在空中交换，速度要快。

第二节　虎形

虎有伏身离穴之势，又有扑食之勇，又有坐窝之能。其劲发于臀尾[①]，其拳顺则清气上升，其拳谬则浊气不降、则诸脉不通。医家谓督脉，为百脉之源，督脉通则诸脉通。督脉即臀尾也。

一、路线

虎形之路线与炮拳同。（图4）

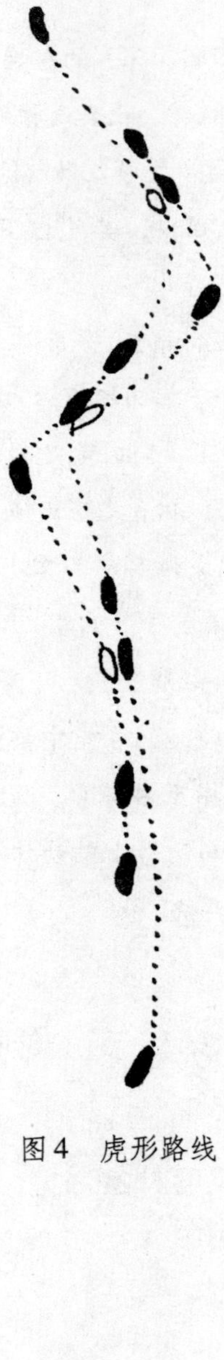

图4　虎形路线

二、起势[②]

图5　起势图

由三体势先将两手往前下方伸直，再将右足前进，左足提起，紧靠右足胫。同时两手握拳抽回，阳置小腹，两肘紧靠两肋，两臂须有裹力，挺腰提肛。此起势也。要领与炮拳同。如左图[③]（图5）。

三、落势[④]

图6　落势图

两拳由胸口钻出，翻落变掌如弧形，同时左足前进，右足随跟。此时两肘下垂，两掌间隔少许，虎口相对，与胸齐平。总之，手起而钻，手落而翻，手足齐落挺提伸肩，此虎形精神之大概也。至左右互换，看路线自明。如左图（图6）。

四、回身势

左扑则右转身，右扑则左转身。其要领与炮拳回身同，其路线亦同。

注释

① 劲发于臀尾：指向前迈步发掌时，肛门上提尾闾向前扣，命门向后撑劲，使足之蹬力经胯腰和脊背上达于手。孙禄堂《形意拳学》中形意拳演习之要义中的“塌腰者，尾闾上提，阳气上升，督脉之理也”，即是此义。

② 起势：右掌向前伸与左掌齐，掌心向下，右足向前进一大步。同时两掌变拳撤至肚脐两侧，拳心均向上，左腿跟进提靠在右足踝关节处。

③ 如左图：原书图在文字左边，此处文字与原文保持一致，与配图位置无关。后同。

④ 落势：左足向左前方斜进一步，右足跟半步。同时两拳顺着胸部向上伸，拳心向内，两拳翻落变掌，成弧形向前按出，虎口相对，高与胸齐。要点：左足前进要与两掌翻落前按动作整齐一致；按出后要沉肩、坠肘、塌腰，头顶项竖，两膝微内扣。

第三节　猴形

猴，物之最灵巧者也。达尔文以人生进化，皆始于猿猴，盖其身体各机关之组织，脑筋之灵活，与人相去不远也。猴形有缩力之法，有踪[1]山之能，在腹内则为心源，在拳为猴形。其拳顺则心神定静，而形色纯正；其拳谬则心摇神乱，而形色失和。学者须注意焉。

路线如下图（图7）。

图 7　猴形路线

一、第一势[2]

图 8　左势一图

由三体势将左足提起，走往右边，垫步极力向外扭劲，左手落至小腹，与劈拳同样钻出，身随左足向左转，右足极力进步至左足前方，足尖向里扣劲落下。此时，身体与面向或西南或东北，只看从何方起点，若由北方起点，此势则面向东北矣。复将左足与左手同时撤至右足后方，右手再从左手上方劈出。此势与劈拳略同。（图 8）

二、第二势[3]

由一势将左足极力往后垫步，右足踏地拉至左足处，足跟提起，足尖着地，足跟对左足胫骨，身体成三折形，右手撤至小腹，肘靠胁，左手出至口前约二十生的[4]，手心向下。两手如鹰捉，五指具张，肘靠胁，两胯里根与臀尾极力往后缩力，头稍向前并向上顶劲。如左图（图9）。

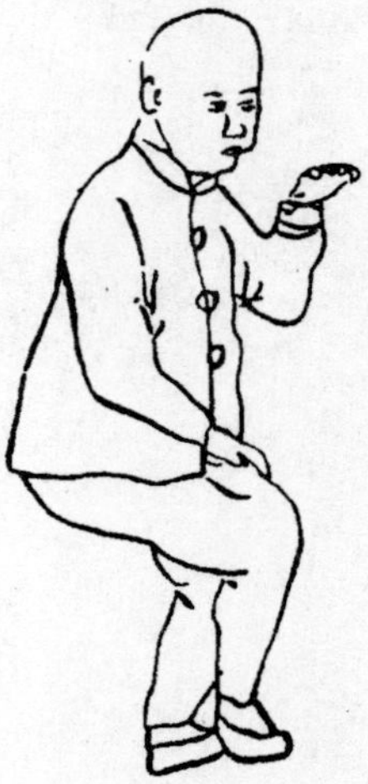

图9　左势二图

三、第三势[5]

由二势将右足极力向前垫步，右手左足同时并出，收左手至左胁。复出右足，左手亦同时并出，惟右腿极力上提，大腿根与小腹相触，足尖极力上仰，微停。再出右手落右足，左手又收回，出手落足收手要齐整。此势与劈拳相同。（图10）

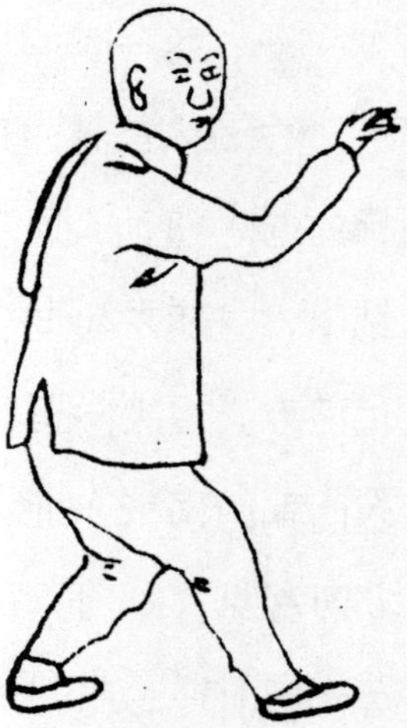

图10　左势三图

四、换势[6]

图 11　右势图

由三势将右足极力向外扭劲，右手亦如左势落在小腹处，复行钻出，身体随右足右转，极力向前进步，复极力向里扣足。此时，面向西北矣。再出左手，仍如左势，往后缩力，复向前进步，出手提足，收手无不与左势同。至于第二第三势，均与左势之第二第三势同，故不复赘。（图 11）

五、收势

至原起地点作三体势。

注释

① 踪：原文“踪”字误，当作“纵”。

② 第一势：接三体势，左足提起足尖外撇，身体速向右走。左掌向下向里收回胸前，转掌心向上钻出。身随左足向左转，右足向右后方退一大步（此时面朝左后方），足尖向里扣劲落下。接着左足与左手同时回撤，左足落于右足后方。左手回撤，同时右手从左手上方劈出，左手落于脐下。此势名为猿猴挂印。

③ 第二势：接前势，左足极力向后撤一步，右足跟着撤至左足前，足尖点地，足跟抬起，足跟对左踝关节，身体下蹲成三折。同时将右手撤回小腹处，肘靠胁，左掌顺右肩方向前探，高与口齐，两手如鹰捉，五指张开。此势名为猿猴扨绳。要点：后撤时，身体尽力向后缩，腰要塌，头要向前向上顶劲。

④ 生的：“生的米突”（英语 centimetre 的音译）的简称，即厘米。

⑤ 第三势：接前势，右足极力向前进一步，接着进左足。同时右手向前上方伸出，左手撤至肋下。紧接着左足蹬劲，右腿极力提起，大腿根与小腹相触，足尖极力上翘。同时左手向前上方伸出，高与眼齐；落右足，右手伸出，左手收回脐下，左足跟半步。此势名为猿猴爬竿。要点：动作要连贯，进步出掌要快速，右脚跳步时要和右掌伸出同步，落步要稳健。

⑥ 换势：接前势，右足极力向外扭劲，右手收回经小腹至胸前钻出，身体随着右足右转，左足极力向左前方进步（假设从北方出势），左足极力向里扣。此时已面向西北，出左手。以下仍如左势，惟手足相反，不再赘述。

第四节　马形

马之性最驯熟，马之形最勇敢，且有疾步之能，富于冲力，世人用以充军，良有以也。在腹内则为意，在拳则为马形。其拳顺则意定气平，其拳谬则意妄气乖，而手足不灵矣。

一、路线

马形之路线，每三步为一组，前脚进后脚大进，前脚复进而后脚跟进。如左图（图 12）。

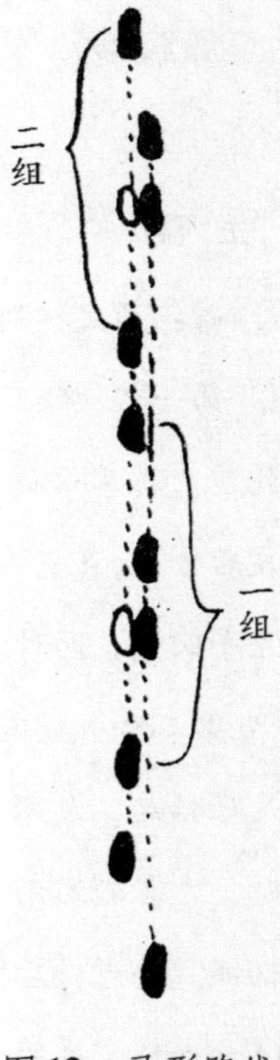

图 12　马形路线

二、起势①

由三体势先将两手变拳后阳前顺，然后前脚小进，后脚大进，前脚脚尖上提靠后足胫，两膝尤须靠紧，成金鸡独立式。同时，前拳收回仰抱与脐齐，后拳顺出与胸同高。其两拳之出入与崩拳概同，但须与脚相合。此起势也。（图 13）

三、落势[②]

由起势以上提之脚，复进一大步，后脚跟进。同时收回前拳，伸出后拳，仍与崩拳之动作同。此落势也。（图 14）

图 13　起势图

图 14　落势图

四、回身势[③]

左手前则右转身，右手前则左转身。其动作即将前拳收回，同时由右（左）向后转而伸出后拳。转时以两足跟为轴，足尖离地少许。

注释

① 起势：接三体势，两掌变拳，后手成阳拳，前手变立拳。然后前脚进一

小步，后脚（右脚）迅速前进一大步，左脚提靠右足踝关节，两膝紧靠成金鸡独立势。同时，左拳撤回仰置于脐旁，右拳打出如崩拳，与胸等高。

② 落势：接前势，左脚向前进一大步，右脚跟半步。同时收回右拳，打出左拳，仍与崩拳动作相同。

③ 回身势：左手在前则右转身，右手在前则左转身，将前拳收回，前足回扣，后足提靠于前足踝关节，同时伸出后拳。以下与落势相同。

第五节　鮀形

鮀为水族中最伶之物。此形有游泳之能，在腹内为肾，能散心火，消饮食，活泼周身之筋骨，融化身体之拙气拙力。其拳顺则筋骨能转弱为强，易拙重为轻灵；其拳谬则手足拘束，而筋骨固滞不通。可不慎哉。

一、路线

鮀形之路线每一步为一组，其形如电光。（图 15）

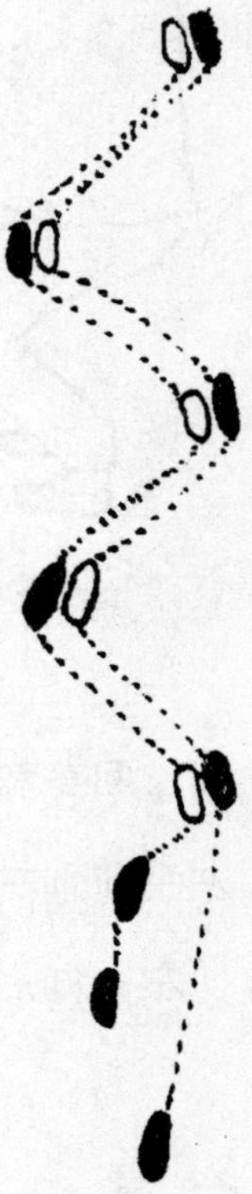

图 15　鮀形路线

二、左势[1]

由三体势左足向前垫步，右足前进着地，左足随之紧靠右胫，全足离地少许。同时，右臂由胸钻出至口而外翻，左臂随至胸前，如劈拳，惟肘下垂较重，除大指食指伸开，余指湾[2]曲。（图 16）

图 16　左势一图

三、左势[3]

由右势左足斜向前进，右足随之紧靠左胫，离地少许。同时，左臂由胸钻出至口而外翻，右臂随至胸前，与左势略同。动作时，两眼须注视左右手之食指。两手虽有分合，总是一气如连环不断；手足虽有分合，总与腰合成一气，如万派出于一源；上下虽有分合，而腰颈总是一致，不可乖离。此鮀形之精神也。（图 17）

图 17　左势二图

四、回身势[4]

当出右手右足之时，左足不落即极力回身。同时，左臂由胸钻出，右手右足随跟。左势回身亦如之。

注 释

① 左势：原文误作“左势”，据文义当为“右势”。接三体势，左足向前垫一步，右足向右前方进一步，左足跟进提靠右踝关节，全足离地少许。同时，右臂由胸钻出至口向外翻撑，左臂跟随至胸前，两手拇指与食指伸开，其余三指弯曲，目注视前手食指。要点：右足和右手要协调一致，肩、肘、腕、掌成一弧形，掌向外翻撑时，要由腰胯带动。

② 湾：古同“弯”。后同。

③ 左势：接前势，左足向左前方进一步，右足提靠于左踝关节，离地少许。同时左臂由胸钻出至口向外翻撑，右臂收回至胸前。要求与右势相同。

④ 回身势：当右手右足在前回身时，左足不落直接向左转身，再向左前方前进一步。同时左手由胸向外翻撑，右手右足跟进，如左势。左足左手在前回身时与此势同，惟方向相反。

第六节 鸡形

鸡有独力[1]之能，有振翼之威，有奋斗之勇，且司晨报晓，最有益之家畜也。此形能起足跟之劲，使之上升；能收头顶之气，以之下降；且能散真气于四体之中。拳顺则上可补脑筋之不足，下可医腿足之疼痛；拳谬则脑筋不足，手足麻木不仁。此不可不注意也。

一、路线

鸡形之路线与马形同。

二、起势[2]

由三体势前脚小进，同时将前手收回，后手从前手下面钻出，后脚急进一大步，更同时收回后手，仍由手之下面钻出前手。此时，前脚提起，附着于后足胫，且两膝靠紧，名曰金鸡独力[③]式。两手出入时，务必挺腰，挺颈，肩须垂扣，身体不可摇动，此为至要。（图 18）

三、落势[④]

上提之脚前进一大步，后脚跟进成三体势。脚落地时，伸出之手极力向外推劲，收回之手极力向下按劲，一切要领均与三体势同。（图 19）

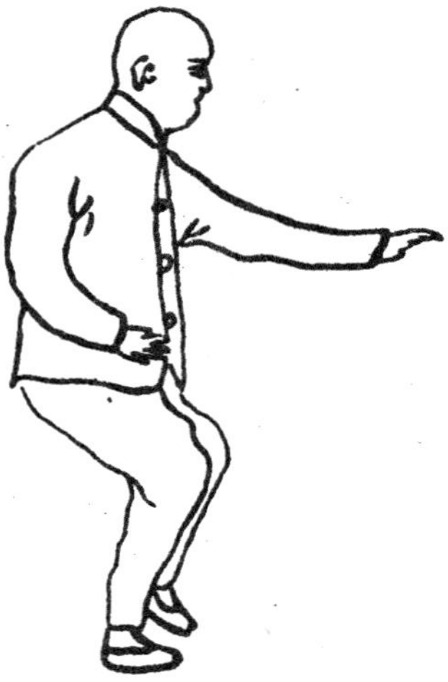

图 18　金鸡独立一图

图 19　金鸡独立二图

四、回身势[⑤]

右手前则左转身，左手前则右转身。转时以两足跟为轴，将前手收回；同时由左（右）向后转而伸出后手。

注 释

① 力：原文误作“力”，据保定本当为“立”。

② 起势：由三体势左足向前垫步，左腿曲膝前弓，右腿稍弯曲，足跟离地，上体微前倾。同时右掌从左掌下面向前穿出，高与胸齐，左掌撤至左胯旁，目视右手。右足极力前进一大步，左足跟随提靠右足踝关节，成独立步。同时左掌从右掌下面向前穿出，高与胸齐，右掌撤回脐下，目视左手。要点：纵步要远、要稳，要挺腰、挺颈，肩要垂扣。

③ 力：原文误作“力”，据保定本当为“立”。

④ 落势：左足向前进一大步，右足跟进成三体势。前足落时，前手极力向前推劲，后手极力向下按劲。要领同三体势。

⑤ 回身势：右手在前则左转身，左手在前则右转身。转身时先回扣右足，再以左足跟为轴，将左足转向后方。同时收回右手，伸出左手，成三体势。

第七节　鹞形

鹞形者，最锋利、最锐敏之形也。飘忽猛鸷，不可方物。诚以鹞之为物，有束翅之法，有入林之能，有翻身之巧。在腹内能收心藏气，在拳内能束身缩体。拳顺则能收先天之气入于丹田，且能束身而起，藏身而落；拳谬则心努气乖，而身亦捆束不灵矣。

一、路线

鹞形之路线甚复杂：先由两足横并为一，然后出左足为二；次则左脚小进，右足大进，左足靠右胫为三；复进左足为四。此一组也。次则三步为一组，左足进为一，右足进为二，左足退进为三。再次则

回身进左足为一，复进为二，右足大进为三，复进左足为四。此又一组也。（图 20）

图 20　鹞形路线

二、动作

1. 面向路线之侧，两足横并成人字形，两拳仰抱在脐。[①]（图 21）

图 21

2. 身向下作劲，两腿湾曲，两拳相交，右拳在上，由腹际错出。此时，面对路线上身向左斜。[②]（图 22）

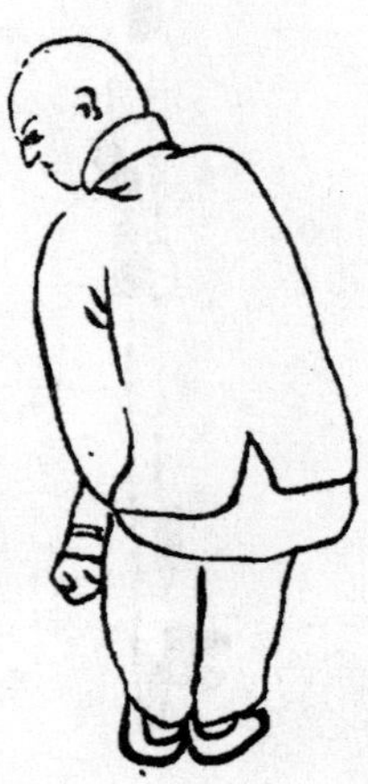

图 22

3. 顺出左拳，同时进左足，右拳仰抱在脐。[③]（图 23）

图 23

4. 再进左足，右足随进一大步，左足靠右胫，两膝靠紧；同时收回左拳，右拳由胸部钻出。复进左足，顺出左拳，右臂即向上架。右拳齐眉，右肘须有裹力，其要领同炮拳。[④]（图 24）

图 24

5. 进步作钻拳，凡三进步，仍右拳在前，始回身进左足，右臂拦于面前，竭力向里裹，随即横翻右臂上护头部；同时身体斜向后撤，左拳上移至与接近，则右拳向后画成椭圆，左拳即由裆内向外钻出，名曰鹞子入林式。随之左足小进，右足大进，成金鸡独立式。同时右拳钻出，左拳收回，然后仍出左拳，进左足，作顺步炮拳式。⑤（图 25）

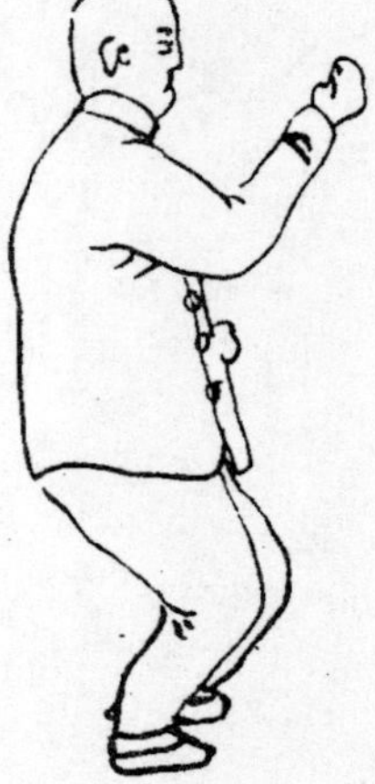

图 25

三、收势

复至起点时，转身作鹞子入林式，然后顺步炮拳，即为收势。

注 释

① 此一段为动作1：面向路线侧方站立（假如路线为从北向南，则起势时面向西），两足成人字形，两拳成阳拳置于肚脐两侧，目视路线前方。

② 此一段为动作2：身体下蹲，两拳相交于小腹前，右拳在上，向前下方打出，面对路线，身体微向左倾斜。

③ 此一段为动作3：沿路线进左足，同时左拳向前下方打出，拳眼向上，右拳撤回仰置于脐下。

④ 此一段为动作4：左足垫步，右足前进一大步，左足跟进提靠于右踝关节，两膝紧靠。同时右拳经胸口向前上方钻出，左拳收回，仰置于脐下。左足再进一步，同时左拳顺出，右臂向上架拳与眉齐，要领同炮拳。

⑤ 此一段为动作5：左足垫步，进右足，右手下落经胸口出钻拳，左手撤

回仰置脐下，左足跟半步。回身，右足回扣，左足转向后方，右臂曲肘随身体向左转，经胸前伸至左肩前，下落于左肘下方，左拳在右肘下也随身转动，左拳上移接近右拳，右拳继续向后画弧。同时左拳由裆前向外钻出，右拳置于小腹右侧。此势名为鷂子入林式。随之左足垫步，右足进一大步，同时右拳钻出，左拳收回脐下，成金鸡独立式。然后出左拳进左足，作顺步炮拳势。

第八节　燕形

燕者，最灵巧之物也。此形有跃身之法，有抄水之妙，有轻捷之灵。在腹内能取肾水与心火相交，在拳能活动丹田之气，充塞周身。拳顺则四窍开，精神足，脑筋强；拳谬则丹田气滞，身体掘[1]重，而气亦不通矣。

一、路线

燕形之路线：先以两步为一组，即左足小进后，右足大进；再以四步为一组，左足着地为一，右足进为二，左足复进右足跟进为三，复出左足为四。（图26）

图26　燕形路线

二、动作

1. 由三体势左足小进，同时收回左手，右手从左手下面伸出，然后右足急进一大步；同时收回右手，左手再从右手下面伸出。其要领概与鸡形同，如是连作两次。[2]

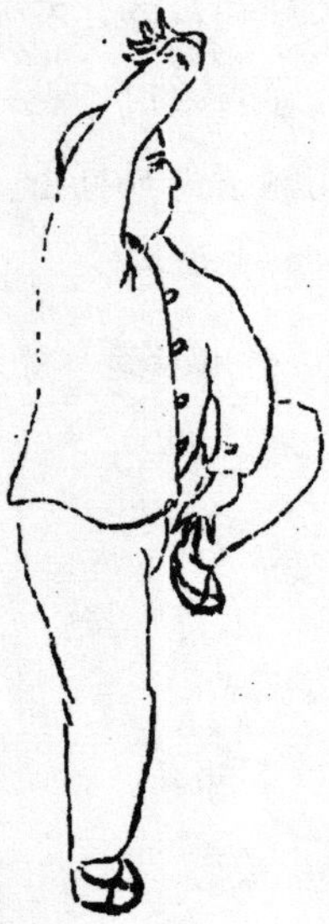

图 27

2. 左足前进，右足连进，同时提起左足，左手由胸部下拦，右手上举过顶，手掌向外。[③]（图 27）

3. 复进左足，身体向后斜低，将重点全移于右腿上，左腿屈下离地少许，然后急以左手顺左腿抄出，身即随之，而右手向后画圆，复由下向上捞打。此时，左手附着右腕，右手掌心向上，名燕子抄水式。[④]

4. 复进左足劈出左掌，再进步作劈拳，其回身与鸡形回身同。[⑤]（图 28）

图 28

三、收势

回至起点，照劈拳转身法回身作劈拳，即为收势。

注释

① 掘：原文误作“掘”，据保定本当为“拙”。

② 动作1：动作及要领同鸡形之金鸡独立，连续做两次。

③ 动作2：接前势，左足进一步，紧接着右足进一步，脚外扭斜向前方，同时左足提起，右足独立支撑，左手回收经胸部向下按，掌心向下，右掌经身前向上举过头顶，臂伸直，掌心向上。此势名为燕子钻天。

④ 动作3：接前势，左足下落脚尖微向内扣进一步，腿伸直，右腿曲膝下蹲，成仆步，重心在右腿。同时，左手顺着左腿向前推出，身体重心逐渐前移，右手向后、向下、向前画圆，再由下向上捞打，掌心向上，左手附于右手腕。同时右腿跟进半步，重心落于右腿。此势名为燕子抄水。

⑤ 动作4：左足进一步，劈出左掌，再抓回左掌，垫步递左横拳，进右足劈右掌，成劈拳势。回身与鸡形回身同。

第九节　蛇形

蛇者，最活泼之物也，能曲能伸，能吸能放，能绕能蟠，能柔能刚。在腹内即为肾中之阳，在拳为蛇形，能活泼腰中之力。拳顺则内中真阳透于外部而精神焕发，拳谬则阴气拘束，拙劲不化，身体不能活泼，心窍亦不能通撤[①]矣。

一、路线

蛇形之路线每二步为一组，势皆斜出。如图（图29）。

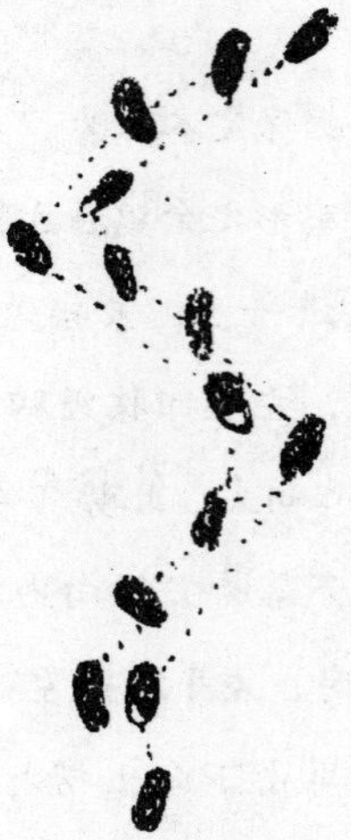

图 29　蛇形路线

二、起势[②]

由三体势左足横出向右斜进，右足跟进，成剪子股式；同时左掌向外拨，掌心向外，肘向里裹，距右肩少许，右掌即从小腹向左下方钻出。此时，两掌用力务必平均，至提肛挺腰垂肩尤不可忽。（图 30）

图 30　起势图

三、落势[③]

由起势复进右足，左足跟进，同时右掌随右腿抄出，掌心向侧，在右膝前约离一拳，右肘下垂。右肩虽向前伸，然有向上之抗力，盖此手之作用，全在肩部也。左掌当右掌抄出时，即收在小腹，掌心向下。再起落时，即先进右足向左斜出。其要领皆同。（图 31）

图 31　落势图

四、回身势[④]

右手前则左转身，左手前则右转身。转时即将后足横向后进，前足跟进，后手即随后腿拨出，前手收至腹际与起势同。

注释

① 撤：原文误作“撤”，据保定本当为“彻”。

② 起势：接三体势，左足垫步微向右斜进，右足随之略向前跟步，足跟离地，重心移于左腿，成剪子股式。同时右掌由腹前向左下方插下，掌心向外，

指尖向下，手背贴于左胯前，左臂曲肘，左掌收至右肩前，掌心向右，指尖向上，目视前方。要点：两掌用力要平均。

③ 落势：右腿向右前方进一步，左足随之跟进半步，重心偏于左腿。同时右掌由下向右、向上撩出，掌略高于膝，掌心向左侧，左掌撤至小腹，掌心向下。此为右势。再起落时，先垫右足，要领与右势相同。

④ 回身势：右手在前则左转身，左手在前则右转身。转身时将后足（左足）向外横扭垫步，前足（右足）跟随，右手向左下方插掌，左掌上升至右肩前。以下动作与起势相同。

第十节　鲐形

鲐之为物，性最直，气最猛，有竖尾之精，有展翅之能，上起可以超升，下落足以捣物。此形在腹则同肝肺，在拳则为鲐形。拳顺则肝舒气固，且能活肩活足；拳谬则肝不舒，气不固，而两肩亦拘滞不活矣。

一、路线

鲐形之路线与鮀形略同，惟每二步为一组，后足跟进着地，其两足如虎形之落势，是其不同耳。如图（图32）。

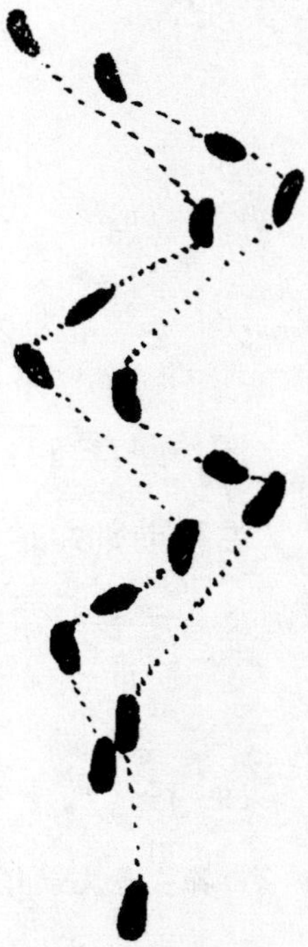

图32　鲐形路线

二、左势[①]

由三体势先将左掌收回，两手变拳仰抱在脐，同时左足尖稍向外扭，然后左足向左前进一步，右足跟进。当左足前进时，两臂上举，两拳过眉，拳心向前。至左足着地时，同时两肘内裹，两臂画圆，两拳复插至腰际而错出，右拳在上，两拳心均向外。其要领概与白鹅亮翅同。（图 33）

三、右势②

由左势右足斜向右前进一步，左足跟进，两臂之动作与左势同。左右交互动作多少自便。（图 34）

图 33　左势图

图 34　右势图

四、回身势③

左足前则右转身，右足前则左转身。转时以右（左）足为轴，左（右）足向右（左）扣回而前进，右（左）足跟两臂仍同时动作，以成右（左）势。

第十一节　鹰形

鹰之为物，性最狠烈，其精在在爪[4]，其神在目，有攫获之能，其目能视微物。此形外阳而内阴，在腹能起肾中阳气升于脑中，在拳则为鹰形，能复纯阳之气。拳顺则真精补还于脑，而眼目光明；拳谬则真劲不能贯于四肢，阴火上升，而头眩眼赤。学者当注意也。

一、路线

与劈拳同[5]。

二、起势

与劈拳同。

三、落势[6]

与劈拳同，惟手似鹰捉拿之形，与劈拳有劈物之意者略有不同也。

注 释

① 左势：接三体势，左足向前垫步，两掌变阳拳靠于脐旁，然后右足向前进一步，左足跟进提靠于右踝关节。同时两拳向上，至头上方向左右分开，画一整圆，收回腰际两侧，拳心均向上，目视左前方。左足向左前方进一步，右足随跟半步，同时两拳由腰部直向前错出，右拳在上，两拳均为立拳，拳心向外。

② 右势：接左势，右足斜向前一步，左足向前垫步，以下动作与左势同。

③ 回身势：左足在前则右转身，右足在前则左转身，转以右（左）足为

轴，左（右）足回扣，右（左）足提靠左（右）踝关节，两臂于回身同时向上画圆，收回腰际。右足向右前方进一步，两拳错出，左手在上，要领与左势相同。

④ 其精在在爪：原文误作“其精在在爪”，衍一字，删。

⑤ 与劈拳同：见《岳氏意拳五行精义》中编第一章第一节。后同。

⑥ 落势：动作与劈拳相近，惟下按的手要掌心回缩，五指合扣，如鹰捉兔。

第十二节　熊形

熊之为物，性最钝，而形则最威猛，有竖顶之力。此形在腹能使阴气下降，还于丹田；在拳则为熊形，能复纯阳之气，与鹰形之气相接，上升为阳，下降为阴，二形相合，谓之鹰熊合一。

图 35　熊形一图

一、路线

路线与横拳同[①]。

二、起势[②]

由三体势先将左手收回，如劈拳再顺胸上钻，高与肩齐，右拳置脐。同时右足前进一步，足跟对左胫骨，两足距离与横拳同，腰挺、颈竖、两肩垂扣，两眼注视左拳。此起势也。（图 35）

三、落势[③]

由起势右手顺身往上钻出，至与左手相遇，再往下按，如鹰捉物状，臂似曲似伸；左手同时向后回至小腹处，略同劈拳；左足同时前进一步，右足随进，足尖着地，两眼注视右手食指。此时，身体似松似捆，似开似合。（图 36）

图 36　熊形二图

四、回身势

右足前则左转身，左足前则右转身。如右足在前，以两足跟作轴，从左向后转；同时右拳上钻，左掌变拳置跻[④]，成起势再进。

注 释

① 与横拳同：见《岳氏意拳五行精义》中编第一章第五节。

② 起势：接三体势，左掌下落变拳，经腹部、胸部向上钻，与肩等高，右拳仰置于脐下。同时右足前进一步，足跟与左踝相对，两足距离与横拳同，两眼注视左拳。

③ 落势：右拳经胸部顺着左臂内侧向上伸，伸到两拳接近时变翻掌向下按，如鹰捉物状，左手同时收回小腹处。左足同时前进一大步，右足跟进半步，足尖着地，目视右手食指。要点：右掌下按要与左足进步整齐一致。

④ 跻：原文误作“跻”，据文义当为“脐”。

中编

第一章　形意合一（杂式捶）

形意合一者，合五纲十二目[①]统一之全体也。在腹内能使全体无亏，在拳中则四体百骸、内外之劲浑然一致。其拳顺则内中之气伸缩往来，循环无穷，充乎周身而无间。其劲不见不闻，洁内华外，洋洋流动，上下左右，无乎不在。古人云：是拳无拳，是意无意，无意之中是真意。此之谓也。

注释

① 五纲十二目：在此指五行拳和十二形拳。

第一节　鹞子束翅

由三体势前进步作鹞子束翅势，要领与作法见本编第一章第七节。（图37）

图 37　鹞子束翅图

第二节　鹞子入林

前进步作鹞子入林势，左拳在前，右拳在额，其要领与作法见本编第一章第七节。（图 38）

图 38　鹞子入林图

第三节　退手劈拳[1]（左势）

将右手由额处捋下至脐傍[2]边停住，肘靠胁，同时左手收回至左胁，左足亦同时撤回至右足后方，两腿形势如劈拳，此之谓退步劈拳。（图39）

图39　退步劈拳（左势）图

注释

① 退手劈拳：原文误作“退手劈拳”，据文义当为“退步劈拳”。右拳由上落于右腰侧，随即变掌向右脸部搂去，掌心向左。同时身体速向左转，左足向后退一步，重心偏于左腿，左手收回左腰侧。

② 傍：原文误作“傍”，据文义当为“旁”。后同。

第四节　退步劈拳（右势）

先将左手钻至头之左额处，手伸开再往下捋至脐傍边停住，肘靠胁。同时，右足撤回至左足后，仍与左式退步劈拳同。左右共作四势停住。（图40）

图40　退步劈拳（右势）图

第五节　乌龙倒水①

将右手从胁往后下方，如画一圆形，从头正额处顺身往下落，至脐靠住。同时，左手由左胁向上钻至额齐平，相离少许。再将右臂抬上，手心向外，手背靠住正额，左手顺身落下，手心向下靠脐，身体

与面向一致停住。此之谓乌龙倒取水。（图 41）

图 41　乌龙倒水图

注 释

① 乌龙倒水：此节要点，左拳下落、右拳上架与重心后移要动作一致。

第六节　单展翅[1]

将左足极力向后撤至右足后方落地，右足随撤至左足处，右足跟紧对左胫骨。同时，右手极力往下落至小腹，肘与拳紧靠胁腹。左拳仍在左胁不动，腰极力挺劲，右边小腹委于大腿上，身体亦不可太弯。向下看时，只要鼻与足尖相齐为度，身体阴阳相合，肩胯扣劲，两目看右手，停住再往前看。此谓之单展翅。（图 42）

图42　单展翅图

注 释

① 单展翅：此节要点，右拳下砸要与右足后撤动作同步，速度要快，撤右足时胯要尽力向后缩，身体前倾，两眼看右手，随即向前看，头要顶，肩要沉，两臂要贴紧腹侧。

第七节　蛰龙出现

由前势，右足极力向前进步，左手与右足同时进出，左足随跟如崩拳，身体高低亦与崩拳同。此谓之蛰龙出现。（图43）

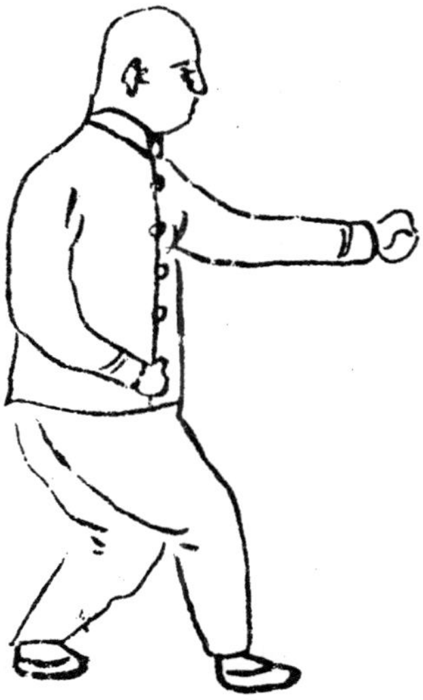

图 43　蛰龙出现图

第八节　顺步崩拳

步法身法出手均与连环之顺步崩拳同[1]。

注释

① 见《岳氏意拳五行精义》中编第三章第五节。

第九节　白鹅亮翅

其动作要领与连环之白鹅亮翅同[1]。

注 释

① 见《岳氏意拳五行精义》中编第三章第六节。

第十节 炮拳

其动作要领与炮拳同[①]。

注 释

① 见《岳氏意拳五行精义》中编第一章第四节。

第十一节 双展翅[①]

两手一齐收回至小腹，右手握拳，手心向上落在左手心中，两肘紧靠胁，右足同时向后垫步，足尖仍向外斜，两目向前看。此谓之双展翅。（图 44）

图 44 双展翅图

注 释

① 双展翅：此节要点，两拳下砸要与右足收回动作同步。

第十二节　鹞子入林

其动作身法均与前同[①]。

注 释

① 见本章第七节。

第十三节　退步劈拳　乌龙倒水

退步劈拳其要领如前，其数目亦同前[①]。继作乌龙倒水。

注 释

① 见本章第四节。

第十四节　燕形

将乌龙倒水之势右手过来落下，紧接燕子抄水，其要领同前[①]。

注 释

① 见《岳氏意拳十二形精义》上编第一章第八节。

第十五节　进步崩拳

其要领同前[1]。

注 释

① 见《岳氏意拳五行精义》中编第三章第三节。

第十六节　退步横拳

与连环之退步横拳同[1]。

注 释

① 见《岳氏意拳五行精义》第四节退步崩拳。据其他版本此节名为“退步横拳”，存疑。

第十七节　顺步崩拳

其动作与要领同前[1]。

注 释

① 见《岳氏意拳五行精义》第五节。

第十八节　白鹅亮翅

第十九节　炮拳

第二十节　双展翅

第二十一节　鹞子入林

第二十二节　退步劈拳　乌龙倒水

以上数节之动作要领均与前同[①]。

注 释

① 见本章同名节。

第二十三节　青龙探爪

换势将右手从正额处五指伸开，向前极力伸出，再换与口平，两足不动，两肩平松开抽劲微停出左手。此之谓青龙探爪。（图 45）

图 45　青龙探爪图

第二十四节　鹰捉

换势将左手从心口由右手上方伸出，右手收回右胁，两足仍是原势不动，两手伸出抽回与鹰之捉物相同，故名鹰捉。（图 46）

图 46　鹰捉图

第二十五节　裹手

换势将左手如连环包裹，右手仍在右胁不动，其要领准连环之进步钻拳。

第二十六节　推窗望月[①]

换势将左手腕向外扭劲，斜向外上方推去。左足亦同时与左手伸出，身体向下缩力，两腿如骑马式。左肩根极力松开抽劲，两目注视左手大指食指中间，右手仍在右胁不动。此之谓推窗望月。（图 47）

图 47　推窗望月图

注 释

① 推窗望月：此节要点，动作要连贯，左足横进要贴近地面，足和上肢动作要同时到位，周身用劲要完整一气。

第二十七节　三盘落地[①]

换势将左手屈回落下，与腿根相平，相隔一拳许，手腕极力向外扭劲，臂如半圆形。右手亦同时与左手落下，手腕向外扭劲，两臂相同，两腿仍是骑马式。两目向左前看。两肩松开向外伸劲，复向回抽劲，腰挺肛提。此之谓三盘落地。如左图（图48）。

图48　三盘落地图

注释

① 三盘落地：此节要点，两臂要撑圆，肩要沉，腰要塌，胯要缩。

第二十八节　懒龙卧道[①]

由前势先将左手向前极力撑劲，伸出与心口平，将手握拳，手腕向里扭劲，手心向上，复将手如包裹劲裹回至心口，臂紧靠肋。右手极力同时与左手裹回，由左手腕上方伸出，手心向上。右足亦与右手同时进出，两腿与龙形步法同。两目顺右手向前看，两肩极力向下垂劲，复向外开劲。此谓之懒龙卧道。（图49）

图49　懒龙卧道图

注释

①懒龙卧道：此节要点，右拳向左下方插时要贴近身体，左膝要顶住右膝窝，重心要稳。

第二十九节　乌龙翻江

由前势进步，先进左腿，与鹞子入林步法同。左手由右手下方伸出，同时右手收回，出手与横拳略同。两目注视前拳。此之谓乌龙翻江。如上[①]图（图50）。

图50　乌龙翻江图

注释

① 上：原文“上”字误，当为“下”。

第三十节　崩拳

出右手收左手，动作与崩拳同，惟两足仍是势不动。（图 51）

图 51　崩拳图

第三十一节　龙虎相交

右足极力提起，往前蹬去，如画半圆形，与心口相平。左手同时伸出与右足齐。此之谓龙虎相交。

第三十二节　顺步崩拳

由前势将右足落在前方，右手伸出，左手收回，成顺步崩拳势。

第三十三节　白鹅亮翅

第三十四节　炮拳

第三十五节　双展翅

第三十六节　鹞子入林

第三十七节　退步劈拳　乌龙倒水

第三十八节　双展翅

第三十九节　蛰龙出现

第四十节　顺步崩拳

以上诸势均与前同[1]。

注 释

① 见本章同名节。

第四十一节　风摆荷叶[1]

将两手从前方向下落，顺左边如画一圆形，由目前向前双手推出，两掌皆立与肩齐，右手极力伸出，左手在右肩处，右足随两手往回进步，两腿成剪子股式。两目随两手注视，两肩抽劲。此之谓风摆荷叶。（图52）

图52　风摆荷叶图

注释

① 风摆荷叶：此节要点，两臂转动要画一立圆，推出时要用腰带动臂手，两掌右摆后推要与右足向左足前方盖步同步。

第四十二节　崩拳

由前势将左拳从右肩向左前伸出，右手亦随之收回在右胁，左足与左手同时伸出，如崩拳步法，惟后足不跟。

第四十三节　顺步崩拳

第四十四节　鹞子翻身

以上二势其动作与要领均与前同①。

注 释

① 见本章同名节。

第二章　形意全体大用（挨身炮）

形意全体大用者，二人相对之拳也。以体言之，其大无外，其小无内；以用言之，可以不见而章，不动而变，无为而成。在拳为大德小德。大德者，内外合一之劲，其出无穷；小德者，如拳中之变化，生生不已也。学者倘于此深心揣摩，庶几体用兼备，而尽形意之能事矣。

第一节

甲乙二人对拳（甲上）（乙下）。

甲开势用三体势，乙开势亦用三体势。

甲先以左手排出乙之左手，再出右手进步打崩拳。

乙速撤右足，提左足，左腿紧靠右腿；同时以左手推开甲之右手，复进步还打崩拳。（图 53、图 54）

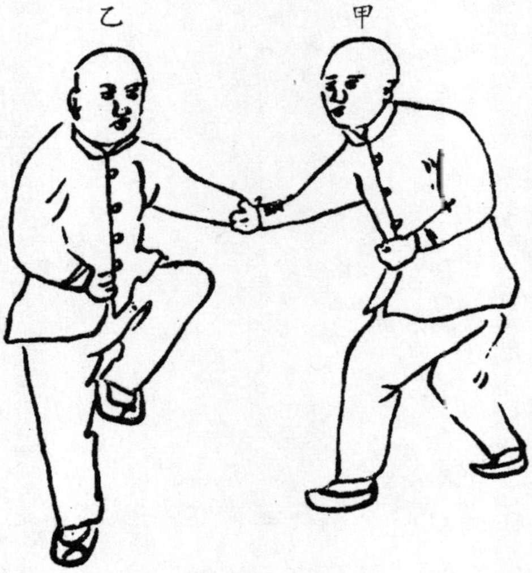

图 53　第一节一图

图 54　第一节二图

第二节

甲即将右手向后拉，破却乙之右手；同时左手向乙之面劈去，两足不动。乙即以右手架起，同时左手向甲之心口打去，成顺步炮拳式。（图 55）

甲左足先垫一步，右足进至乙之左足外边；同时，左手曲回搂乙之左手，右手向乙面劈去，如劈拳。（图 56）

图 55　第二节一图

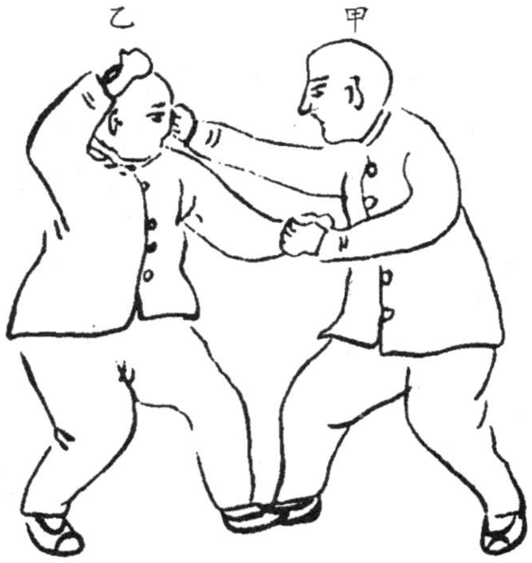

图 56　第二节二图

第三节

乙亦以左足垫步，速进右足，同时左手抽回，架出甲之右手，而以右手劈甲之左面。（图 57）

甲即将右手向里裹劲，手心向上，左手腕向外扭劲，离面一二寸，手心向下，两手齐向乙之右臂截去。同时，右足向前进步。（图 58）

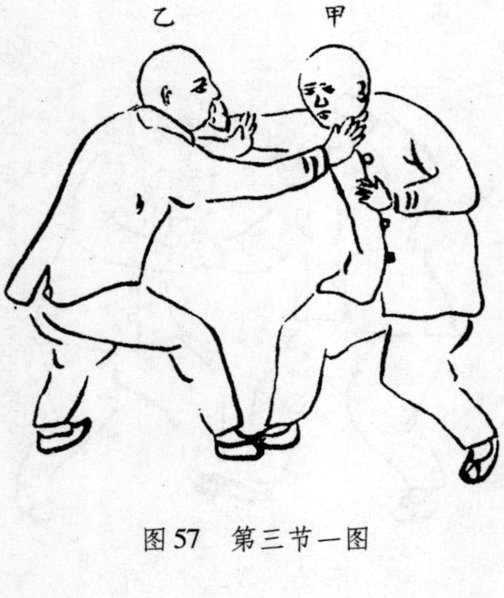

图 57　第三节一图

图 58　第三节二图

第四节

乙即将左手向甲之面劈去，右手拉回在心口右边。（图 59）

甲即换右双截手，与左边相同，随后用右手从自己左手下边出去，向乙之心口打去，两足仍不动。（图 60）

图 59　第四节一图

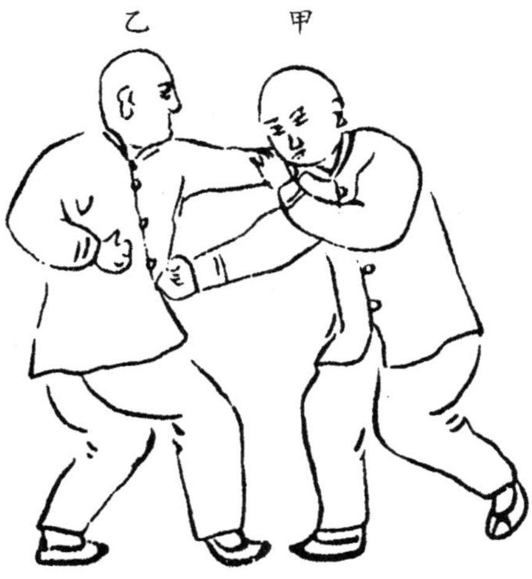

图 60　第四节二图

第五节

乙将左足向后撤，右足提起，先将右手托甲右手向后引进落空，随后再将左手从甲之手腕底下伸去，向后拉且拨，即速将右手向甲心口打去，右足亦同时落地，拉、拨、打三者合成一气，不可间断。（图 61、图 62）

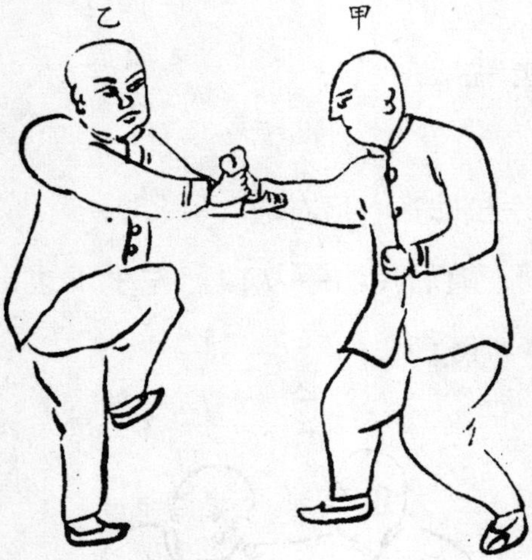

图 61　第五节一图

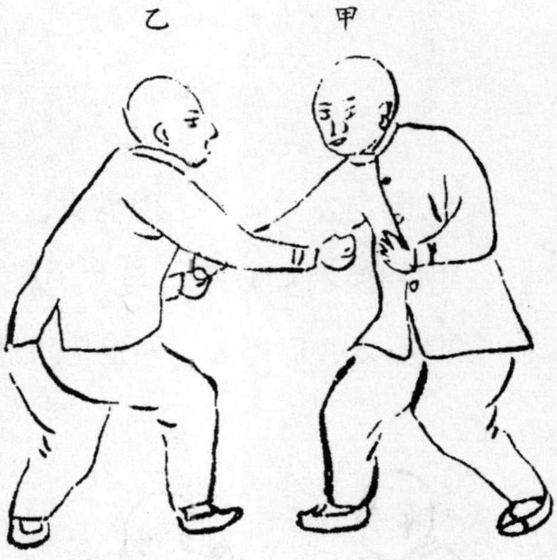

图 62　第五节二图

甲即向下坐腰，右手在乙之右手上边往回扔[①]，如扔物然，左抓去连扔代抓，务须合成一气为要。（图 63）

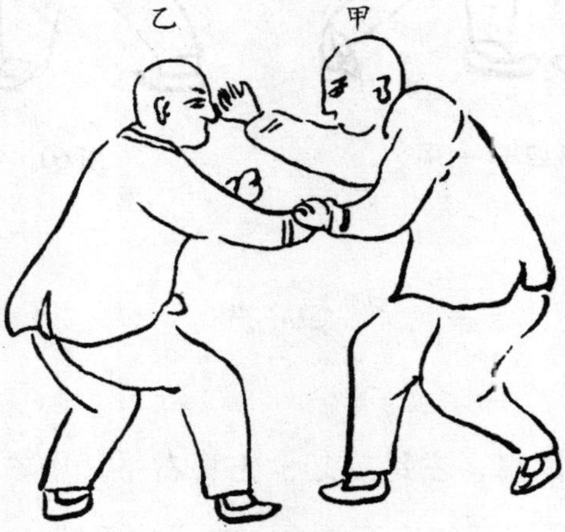

图 63　第五节三图

注 释

① 扨：抓、挠之意。保定本作“挠”。

第六节

乙即屈回右手，向甲之右手钻去，左手拉至心口处，身式要低。（图 64）

甲速用左臂将乙右臂挑起，右手抽回再向乙心口打去。左足右手须同时动作，与炮拳式同。（图 65）

图 64　第六节一图

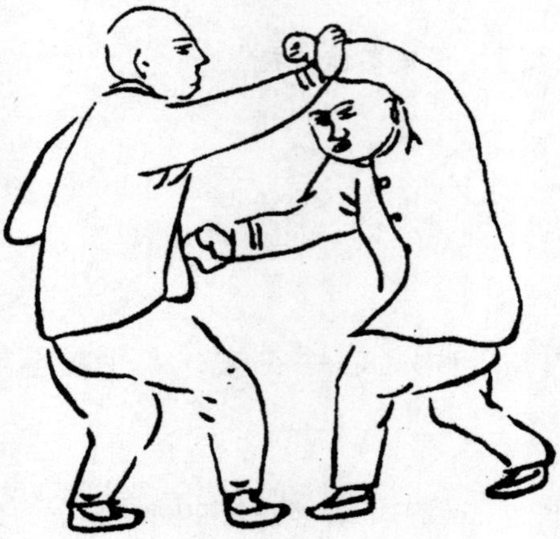

图65　第六节二图

第七节

乙即换退步劈拳，用左手将甲之右手扣住，右手抽回在心口处，手心向下。（图66）

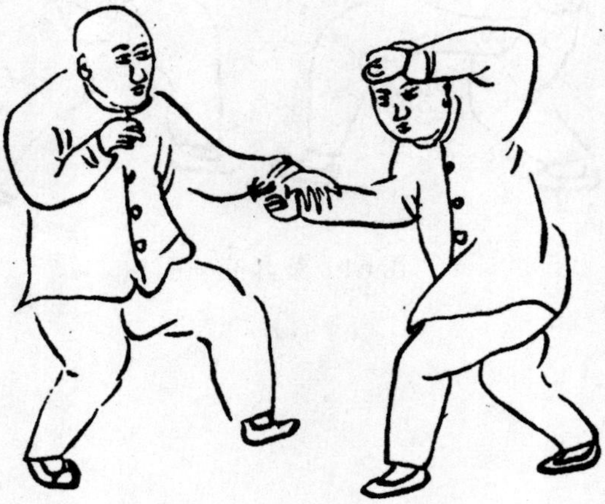

图66　第七节一图

甲即用左手将乙之左手搂开，右手向乙之左面用手背打去，同时右足进步。（图 67）

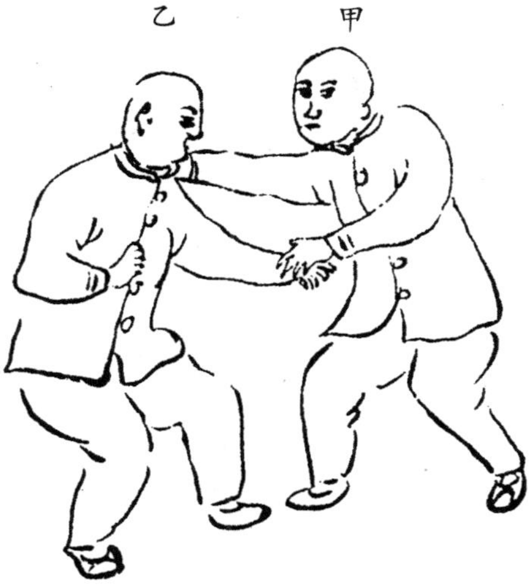

图 67　第七节二图

第八节

乙即退右足，前足随着退，谓之后代后。左手挽回，即速钻出。手足要同时动作。（图 68）

甲即速进右足，跟左足，将左手拍出乙之左手，右手从乙臂下边乙左面[①]，谓之偷打。（图 69）

图 68　第八节一图

图 69　第八节二图

注 释

① 右手从乙臂下边乙左面：原文少一字，据保定本当为“右手从乙臂下边劈乙左面”。

第九节

乙即进右足，向甲之两腿当中落下，先以右手拍出甲之右手，左手向自己之手前头伸，向外拨甲之右臂，右手反打甲之右面。同时右足前进。（图 70）

图 70　第九节一图

甲即将右手屈回，向乙右臂外边钻出，右足速往后撤，右手再向回拉乙右臂，左手劈乙右面。同时左足前进。（图 71）

图 71　第九节二图

第十节

乙先撤左足，用右手将甲左手挂回，同时右足提起，左手搂下甲臂，右手往甲头上抓去。（图 72）

甲即将左臂屈回，向乙右手里边钻去，随后右臂如蛇形向乙裆内撩去。同时右足进步。（图 73）

图 72　第十节一图

图 73　第十节二图

乙为十一节一图

第十一节

乙即往后撤右足，再用右手将甲右手顺着摅[①]下，左手速向甲之脖项伸去，与右手同时向后按着劲拉。（图 73）

甲即将右手屈回往外挂乙左手，再以左手向乙右颊劈去，两足不动。（图 74）

图 74　第十一节二图

注 释

① 摅：音 shū，义同“抒”。后同。

第十二节

乙即将左臂抽回在胁，右手即速向甲左手里边钻去，两足不动。（图 75）

甲即抽回左手在胁，右手向乙左颊劈去，两足不动。（图 76）

图 75　第十二节一图

图 76　第十二节二图

第十三节

乙即将右手拍去甲之右手，随后左手向甲右胁打去，身体换骑马式。（图 77）

甲即坐腰，两足仍不动，随即两手用猴子扨绳式，一二三用右手抓去。（图 78）

图 77　第十三节一图

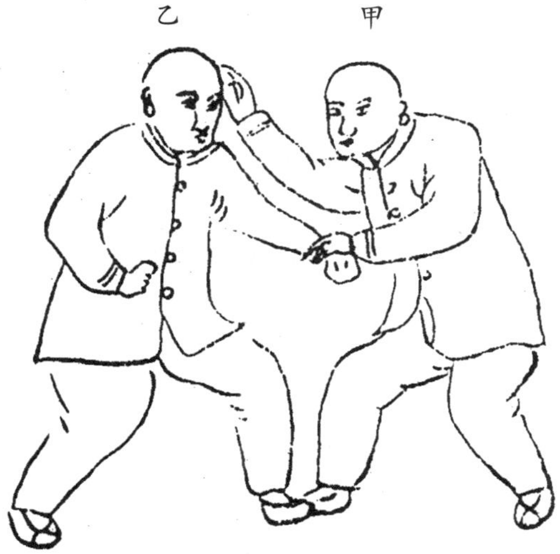

图 78　第十三节二图

第十四节

乙即退左足，右手速用钻掌向甲右手外边钻去，左手在左胁。(图79)

甲即用左手向乙右手里往外拨出，用臂挟住，再速用右手向乙左边脖项切去，左腿与手同时进步，落至乙右腿外边，搏住他。(图80)

图79　第十四节一图

图 80　第十四节二图

第十五节

乙即用双截拳将甲右手截开，两足不动。（图 81）

图 81　第十五节一图

甲即将右手抽回，随后用左手劈乙右颊，两足仍不动。（图 82）

图 82　第十五节二图

甲为十五节二图，乙为十六节一图

第十六节

乙仍用双截手，随后再用右手偷打甲之左胁。（图 82）

甲即向后坐身，两足不动，左手将乙右臂顺往后摅，谓之顺手牵羊式。（图 83）

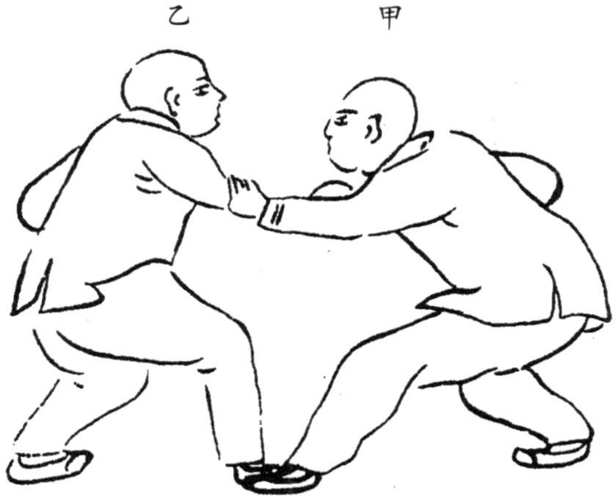

图 83　第十六节二图

第十七节

甲先不起身，即用右足向乙右腿踢去，右手向乙右臂扨去，如扨绳然。惟右足未及落地即提起左足，与右手同时起落，如狸猫上树式。（图 84）

乙即先提右腿往后退步，右手即屈回再向甲右手外边钻去，右手在心口处。（图 85）

图 84　第十七节一图

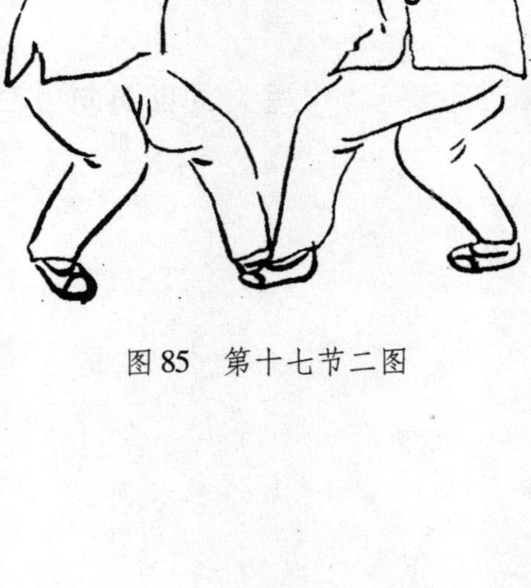

图 85　第十七节二图

第十八节

甲即用左手挑起乙之右臂，右手抽回再向乙左颊劈去，两足仍不动。

乙速抽回右手在右胁处，左手向甲右肩抓去，谓之鹞子抓肩式。（图 86）

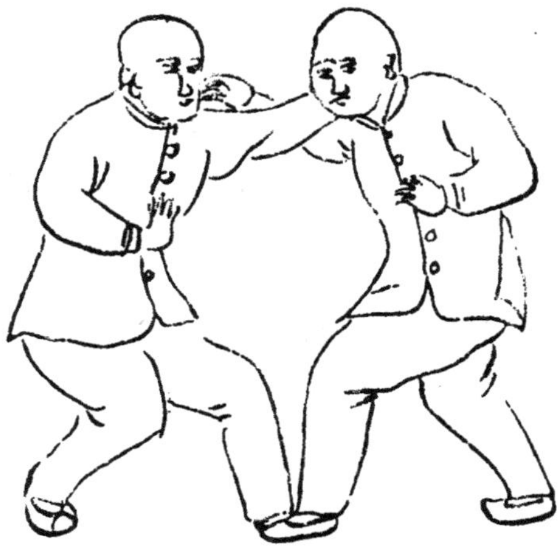

图 86　第十八节一图

第十九节

甲先用右手向乙左手腕往外搂，左手紧跟乙左手腕上边往外推，右手随后向乙左颊劈去，亦是一二三一气，两足不动。（图 87）

乙即将左臂屈回，再向甲右手里边钻去，随后往回挂，右手向甲左颊劈去，两足仍不动。（图 87）

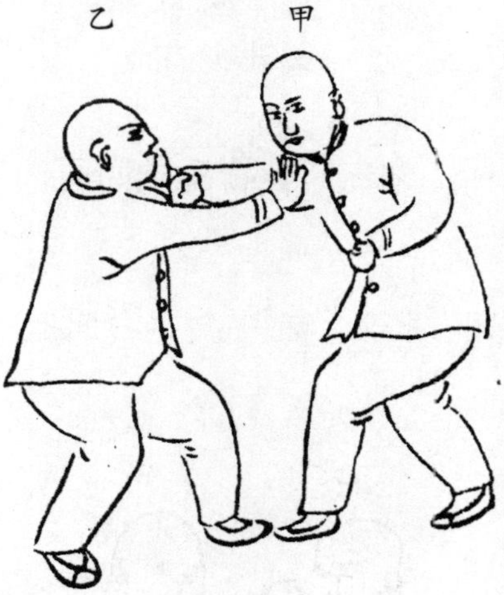

图87　第十九节一图

乙为二图

第二十节

甲即用双斩手截去乙之右手，两足不动。（图88）

乙将右手抽回，再用左手向甲左颊劈去，两足仍不动。

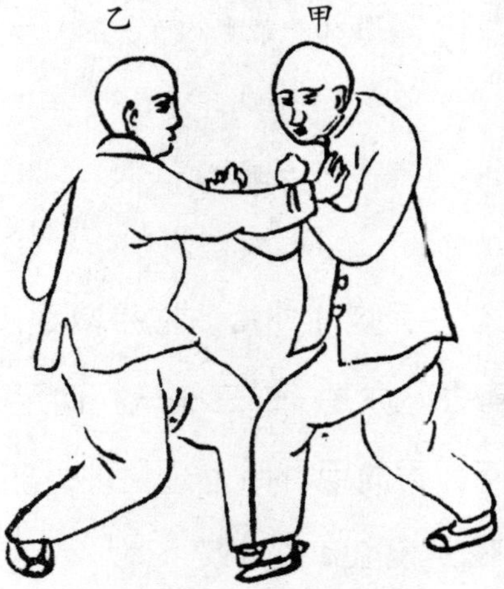

图88　第二十节一图

第二十一节

甲再用双斩手截去乙之左手。（图 89）

甲复用右手偷打，仍与前双斩手偷打同。此右手打出如起点打崩拳式。（图 90）

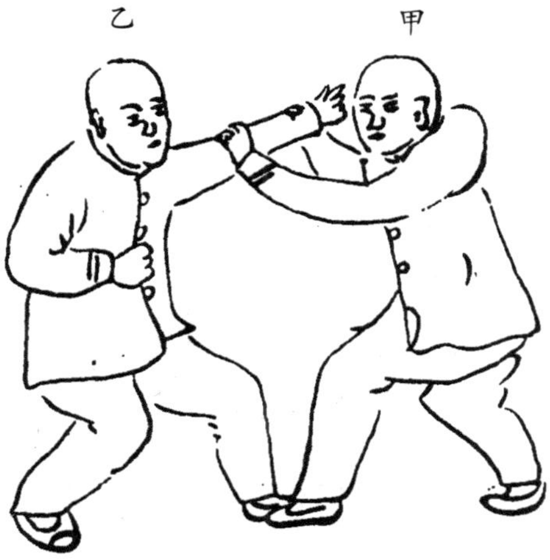

图 89　第二十一节一图

图 90　第二十一节二图

第二十二节

乙再退右足提左足，用左手将甲右手向外推，右手即速用崩拳向甲之腹打去。此与甲起点还打之头一手同。再往回打，仍是乙为甲已来之式、甲为乙已来之式，循环往来不穷。若欲休息，仍还起点处停住，自便休息。（图 91）

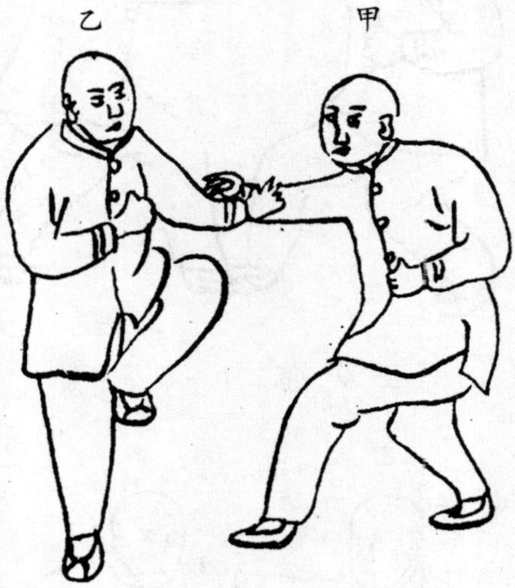

图 91　第二十二节一图

下　编[1]
曹继武先生意拳十法摘要

一曰三节。何为三节？举一身而言之，手臂为稍节，腰胯为中节，足腿为根节是也。分而言之，三节中又各有三节。如稍节之稍[2]节，则手为稍节，肘为中节，肩为根节；中节之三节，则胸为稍节，心为中节，丹田为根节；根节之三节，则足为稍节，膝为中节，胯为根节，皆不外起、随、追三字而已。盖稍节起，中节随，则根节要追。三节相应，不至有长短曲直之病，亦无参差俯仰[3]之虞，所以三节贵乎明也。

二曰四稍。何为四稍？盖浑身毛孔为血稍，手指足指为筋稍，牙为骨稍，舌为肉稍。与人相搏时，舌顶上腭，则肉稍齐；手腕足腕撑动，则筋稍齐；牙齿相合，则骨稍齐；后项撑动，则血稍齐。四稍俱齐，则内劲发矣，所以四稍，尤其要诀耳。

三曰五行。五行者，金木水火土也。内对人五藏[4]，外对人五官，均属五行。如五藏则心属火，心急勇力生；脾属土，脾动大力攻；肝属木，肝急火焰蒸；肺属金，脾[5]动成雷声；肾属水，肾动快如风。此五行之存于内也。目通于肝，鼻通于肺，耳通于肾，口舌通于心，人中通于脾，此五行之著于外也。故曰：五行真如五道关，无人把守自遮拦。天地交合，云蔽日月，武艺相争，蔽住五行，真确论也。又手心通心，属火；鼻尖通肺，属金。火到金回，最宜注意，余可类推矣。

四曰身法。身法有八要，起、落、进、退、反、侧、收、纵是也。起落者，起为横，落为顺。进退者，进走低，退走高。反侧者，反身顾后，侧身顾左右也。收纵者，收如猫伏，纵如虎放也。大抵以中平为宜，以正直为要，与三节法相贯，不可不知。

五曰步法。步法有寸步、佃[⑥]步、快步、剪步是也。如三尺远，寸一步可到，即用寸步。如四五尺远，即用佃步。快步者，起前足，带后足，平走如飞，并非踊跃而往也，犹如马奔虎践之意也，非意成者，不能用也，紧记远处不发足。倘遇人多或有器械者，则连腿带足，并剪而上，即所谓踩足二起，鸳鸯脚是也。善学者，随便用之，总不可执，习之纯熟，用于无心，方尽其妙。

六曰手足法。手法者，单手、双手、起手、拎手是也。起前手，如鹞子入林，须束翅束身而起；推后手，如燕子抄水，往上翻，藏身而落，此单手法也。如双手，则两手交互，并起并落，起如举鼎，落如分砑[⑦]也。至于筋稍发，有起有落者，谓之起手；筋稍不发，起而未落者，谓之拎手。总之直而非直，曲而非曲，肘护心肋，手撩阴起，而其起如虎之扑人，其落如鹰之抓物也。足法者，起钻[⑧]落翻，忌踢宜踩。盖足起，膝起望怀，膝打膝分而出，其形上翻，如手起撩阴是也；至于落，即如以石攒物也，亦如手之落相同也。忌踢者，一踢浑身都是空也；宜踩者，即如手之落鹰抓物也。手法足法，本自相同，而足之为用，尤必知其如虎之行无声，龙之行莫测也。

七曰上法、进法。上法以手为妙，进法以步为先，而总以身法为要。起手如丹凤朝阳是也，进步如抢上抢步、进步踩打是也。必须三节明，四稍齐，五行蔽，身法活，手足相连，内外一气，然后度其远近，随其老嫩，一动而即至也。然其方法有六。六方者：工、顺、勇、急、恨[9]、真也。工者，巧妙也；顺者，顺其自然也；勇者，果断也；疾者，紧急快也；恨者，不容情也，心一动而内劲出也；真者，发心中得见之真，而彼难变化也。六方明，则上法、进法得矣。

八曰顾法、开法、截法、追法。顾法者，单顾、双顾、顾上下、顾左右前后也。如单手顾则用截捶，双手顾则用横拳，顾上则用冲天炮，顾下则用扫地炮。顾前后则用前后扫捶，顾左右则用填透炮。拳一触即动，非若他们之拘、连、掤、架也。开法者，有左开、右开、刚开、柔开也。左开如里填，右开如外填，刚开如前六艺之硬劲，柔开如后六艺之柔劲也。截法者，有截手、截身、截言、截面、截心也。截手者，彼手已动而未到则截之；截身者，彼微动而我先截也；截言者，彼言露其意则截之；截面者，彼面漏[10]其色而截之；截心者，彼目笑眉喜，言其意恭，我须防其有心而迎机以截之也，则截法岂可忽乎哉？追法者，与上法、进法贯注一气，则随身紧超，追风赶月不放松也，彼虽欲走而不能，何虑其邪术哉？

九曰三性调养法。何为三性？盖眼为见性，耳为灵性，心为勇性。此三性为艺中之妙用也。故眼中不时常观察，耳中不时常报应，心中不时常惊醒，则精灵之意在我，所谓先事预防，不至为人所算，而无失机之悮[11]也。

十曰内劲。夫内劲者，寄于无形之中而接于有形之表，可以意会难已[12]言传者也，然其理则可参焉。盖志者，气之帅也；气者，体之充也。心动而气则随之，气动而力则赶之，此必然之理也。有谓为创劲者，非也；有谓为攻劲、崩劲者，亦非也，殆实粘劲也。窃思创劲太直，而难起落，攻劲太死而难变化，崩劲太拙而难展招，皆强硬漏形而不灵也。粘劲者，先后天之气，日久练为一贯也，出没甚捷，可使日月无光而不见形，手到劲发，可使阴阳交合而不费力。总之，如虎之登山，如龙之行空，方为得体。

以上十法，练为一贯，而武艺不已成乎！吾会[13]其理，摘其要而释之，以为后学者训。

注释

① 原文无“下编”二字，据目录补。

② 稍：原文误作“稍”，据文义当为“三”。

③ 参差俯仰：指因三节不明，身体各部位欠协调，未能得心应手。参，音cēn；差，音cī。

④ 五藏：即五脏。

⑤ 脾：原文误作“脾”，据文义当为“肺”。

⑥ 佃：原文误作“佃”，当为“垫”。后同。

⑦ 研：原文误作“研”，据别本当为“砖”。

⑧ 钻：原文为“躦”。“躦”“鑽”通用，在现代汉语中都用“钻”字。

⑨ 悢：原文误作“悢”，据别本当为“狠”。后同。

⑩ 漏：原文误作“漏”，据文义当为“露”。

⑪ 悞：音 wù，同“误”。

⑫ 已：原文误作“已”，据别本当为“以”。

⑬ 会：汇集。

结论

闻子不语力，固尚德不尚力之意也。[1]然夹谷之会[2]，必用司马[3]，且曰吾门有由，恶言不入于耳，[4]是武力诚不可少也。于是顾其身家，保其性命，有拳尚焉。拳之种类不同，他门亦不悉创自何人，惟此六合意拳则出自宋朝岳武穆王。嗣后金元明代，鲜有其技。至明末有山西姬隆风先生，遍访名师，至终南山，曾遇异人，以岳王拳谱传授。先生自得斯谱，如获至宝，朝夕摩练，尽悞[5]其妙。而先生济世心切，尤虑人民处于乱世，出则持器械以自术尚可，若夫太平之日，刀兵伏鞘，倘遇不测，将何以御之？是除学练技击外无他法也，于是尽传其术。于六合意拳，变为十二势，十二势仍归于一势，又曰三回九转是一势，且又有刚柔之分也。刚者在先，固征其异；[6]柔者在后，尤寄其妙，[7]亦由显入微，由粗入精之意也。观世之练艺者，多惑于异端之说，而以善走为奇，亦知此拳有追法乎？以能闪为妙，亦知此拳有截法乎？以左右封闭为得力，亦知此拳有动不见形，一动即至，而不及封闭乎？其能走、能闪、能闭、能封，亦必自有所见而能然[8]也。其于昼间遇敌，尚可侥幸取胜，若黑夜之间，偶逢贼盗，猝遇仇敌，不能见其所以来，将何以闪而避之？不能见其所以动，将何以封而闪之乎？岂不反悮自身也？惟我六合意拳，练上法、顾法、开法于一贯，而其机自灵，其动自捷，虽黑夜之间，风吹草动，有触必应，并不自知其何以然也，独精于斯者自领之耳。然得姬老师之真传者，只有郑师⑨一人。郑师于拳枪刀棍无所不精，会通其理，因述为论，乃知一切武艺皆出于拳内也。但世之学六合意拳者，亦各不同，岂其艺之不同，究未得授真传，故差之毫厘，谬之千里，而况愈传愈讹，且不仅毫厘耳。余幸得学于郑师之门，以接姬老师之传者也。故法颇精，而余得之尤详，就其论而释之，著为十法摘要。非敢妄行诸世，余意在保姬师之传，亦聊以诲与后进之人云尔。曹继武识。

注 释

① 闻子不语力，固尚德不尚力之意也：语出《论语·述而》："子不语怪力乱神。"子：孔子。力：勇力。本句大意：听说孔子不谈论勇力，必然就是崇尚道德而不崇尚武力的意思。

② 夹谷之会：春秋时期，齐鲁两国在夹谷（今山东莱芜南）举行的一次会盟，约定讲和。孔子以大司寇身份陪同鲁定公前往。行前提出"有文事者必有武备，有武备者必有文备"的防范策略。盟会上，孔子以"仁者之勇"震慑了齐国，使齐国未敢轻辱鲁国，归还了侵地。

③ 司马：古代官名，武将。

④ 吾门有由，恶言不入于耳：语出《史记·仲尼弟子列传》："孔子闻卫乱，曰：'嗟乎，由死矣！'已而果死。故孔子曰：'自吾得由，恶言不闻于耳。'"由，仲由，字子路，孔门七十二贤之一。以政事见称，为人伉直，好勇力，跟随孔子周游列国。本句大意：自从我有了仲由，恶言恶语就再也听不

到了。

⑤ 悮：原文误作“悮”，据别本当为“悟”。

⑥ 刚者在先，固征其异：固，当然，自然；征，看到、观察到。本句大意：刚硬的拳术动作在前，当然你要看到、观察到其不同之处。

⑦ 柔者在后，尤寄其妙：柔性的动作在后，其包含着拳术的精妙之处。

⑧自有所见而能然：能然，能够做成这个样子。本句大意：眼能看见、心能体会到，你自然而然就能做出招式。

⑨ 郑师：关于郑师，史料记载不详。马琳璋《心意拳真谛》载，郑师乃姬隆风在终南山所遇道人，曾习拳于姬隆风。有学者认为，形意拳初期的传承，在姬隆风与曹继武之间，还应有郑师一代传人。此说待考证。

岳氏意拳十二形法精义终

岳氏意拳五行十二形法精义

上下两册定价银洋壹圆

原述者　直隶深县　李存义

编辑者　山西太谷　董秀升

校对者　山西清源　李立训

印刷者　山西太原　范华制版印刷厂电话二四四号

总发行　山西太谷　董秀升现寓太原省城纯阳宫十四号

经售处　山西太原　范华制版印刷厂晋新书社

八字功

附录　八字功[①]

八字功之名称亦犹五拳之劈、钻、崩、炮、横，八手之缠、丁、抵、捣、广、立、滚、钻，[②]因其形式精神而定为符号也，曰展、曰截、曰裹、曰跨、曰挑、曰顶、曰云、曰领。其各字意义于名节中详之。

八字功有总合练习法，有分别练习法。分别法，每字为一段，名曰某字功。一左一右互换为之，至无可进而回身，回身后仍然一左一右，至开势处而止，势数之多寡不拘。总合法有单势总合法，名曰“八字单合功”；有双势总合法，名曰“八字双合功”。均附于后。[③]

八字功出势用鸡形，起势、回身、转身均用虎托，收势用退步横拳。回身云者，至彼端而回身也；转身云者，至开势处而身转也。两者相同而地异耳。

注释

① 八字功：李存义先生编创。该套路吸纳了太极拳轻缓柔和、发劲隐含于内的风格及练法，故又称“软八手”。民国初年，中华武士会以石印刊行《八字

功拳谱》，署“深州李存义口述，广宗杜之堂编录”。民国七年（1918 年），收入《武术研究社成绩录》。本书以《武术研究社成绩录》节选“八字功”部分为原本影印。

按：参校本《八字功拳谱》于“用法”一节谈及：“形意拳皆以五行拳为体，其余为用。八字功即五行拳用法之一也，必五行拳习熟，然后可学，其中又有涉及十二形拳者，亦宜学于其后也。不然则为躐等。”

② 八手之缠、丁、抵、捣、广、立、滚、钻：为李存义先生编创、以八个字命名的另外八个单练套路，发劲阳刚，步法灵活，攻防兼备，称作“硬八手”。目前，李存义先生所传、李星阶先生后人所习之“硬八手”，分别为“缠、顶、靠、掖、广、立、滚、钻”八个字（即缠肘、顶掌、靠掌、掖肋、广肘、立桩、滚拳、钻拳）。

③ 参校本《八字功拳谱》于此处有“谱中所列皆左势，至于右势，互易即成”一句。

第一节　展字功

展者，宽展之义，即拓张手足也。左右各三势，后二势皆连续用者，故反[①]之。路线如左（附图 1）。

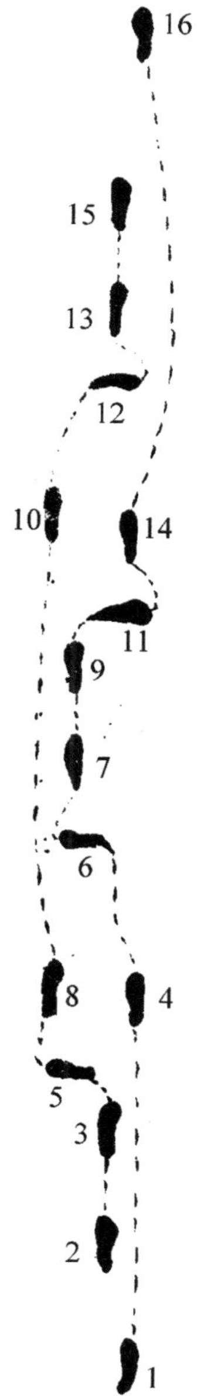

附图1　展字功路线

1. 2. 鸡形　　　　3. 4. 虎托[②]

5. 6. 展势　　　　7. 8. 钻拳

9. 10. 崩拳　　　　11. 12. 展势

13. 14. 钻拳　　　　15. 16. 崩拳

一、展势[③]

左腿稍进，右拳掩至左肩，右腿稍撤提，身转面西，左拳起至头上，腕曲拳阳，右拳随右腿落进，腿叉[④]，脚横，拳扣翻，左腿绌，眼右视。（如上图[⑤]）（附图2）

附图2　展势图

二、钻拳[6]

右转身，右脚顺进、绌。右拳阳出，齐眉。左拳阳置脐，左腿稍跟、支。(如上图)（附图3）

附图3　钻拳图

三、崩拳[7]

右腿进，左拳自肘下打出，左腿随进，右腿跟，右拳阳置肋。(如上图)（附图4）

附图4　崩拳图

注　释

① 反：原文误作“反”，据《八字功拳谱》当为“及”。

② 1.2. 鸡形　3.4. 虎托：文中阿拉伯数字指路线图中标示的落步位置。八字功的每个单套路均以三体势为起势，前两势为鸡形、虎托。由三体势前足向前进一小步，同时将前手收回，后手从前手下钻出，后足疾进一大步。同时收回右手，左手从右手下面钻出。同时左足提至右足踝关节，此为鸡形。接着左足前进一步，足斜向前。右手向前至左手腕下相搭，两臂掌向上、向外画弧，至手指向下后，向前托出。同时进右足，此为虎托。以下各单套路与此相同，不再赘述。

③ 展势：接虎托势，左腿稍进半步，右掌变拳回收至左肩，右腿稍向里扣，身体向左转，左拳外翻起至头上，腕微曲，拳心向上。同时右拳随右腿落进，右腿支撑，脚横放，拳向后翻扣，左腿弯曲，眼看右方。

④ 又：原文误作“又”，据文义当为“支”。

⑤ 如上图：原书图在文字上，故写“如上图”。后同。

⑥ 钻拳：身体右转，右足直进腿微曲。右拳变阳拳钻出，与眉等高，左拳变阳拳下落置于脐下。左腿稍跟，起支撑作用。

⑦ 崩拳：右腿垫步稍进，左拳变立拳从右肘下打出，同时进左腿，右腿跟步，右拳成阳拳置于右肋下。

第二节　截字功

截，裁也，以裁退敌手也。此节最见身法，掩肘宜远，后勾要直，滚手要速。路线如左（附图5）。

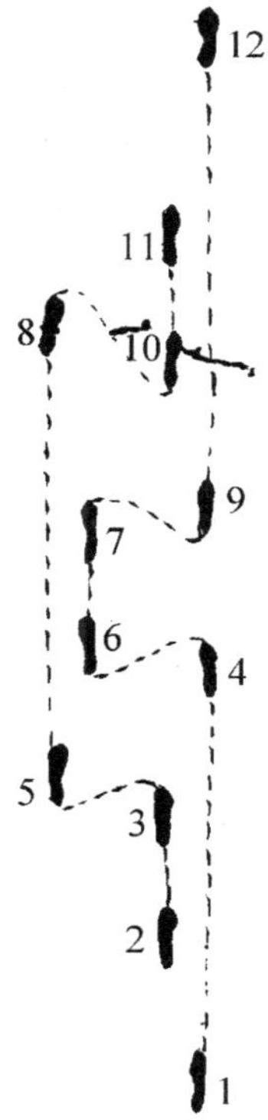

附图5　截字功路线

1.2. 鸡形　　3.4. 虎托

5.6. 截势　　7.8. 滚手

9.10. 截势　　11.12. 滚手

一、截势[①]

左腿斜进，右肘掩，小指外扣。右腿斜进，左手平置身后，作勾，势低。(如上图)（附图6）

附图6　截势图

二、滚手[②]

右腿进，右手外翻裹扣，左腿随进，左掌自右肘下打出，左掌落前，右掌置腕后。(如上图)（附图7）

附图7　滚手图

注释

① 截势：接虎托势，左腿向左前方进一步。同时右臂向左掩肘，掌心朝上，小指向外翻扣，左手撤回左肋下。接着右腿向右前方进一步。同时左手从肋下掏出臂伸直，手向上勾，姿势宜低。

② 滚手：接前势，右腿向前垫步，右手翻掌心向下，左腿进一步，同时左手从身后收回变阴掌，从右肘下打出，右掌置于左手腕后。

第三节　裹字功

裹，围裹也，裹敌手使失其效用也。身旋力柔，有以柔刚之妙[①]。路线如左（附图8）。

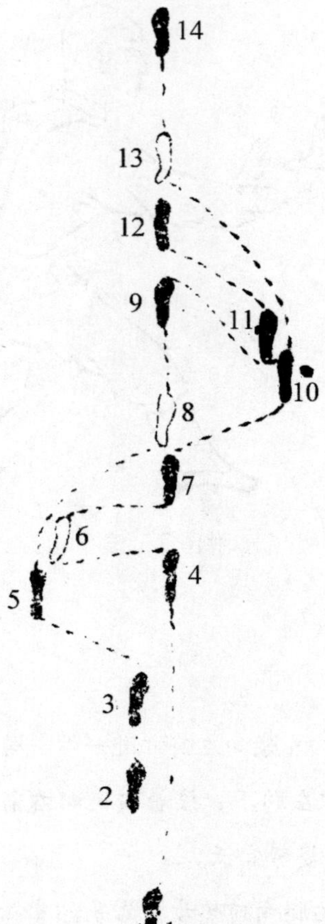

附图 8　裹字功路线

1. 2. 鸡形　　3. 4. 虎托

5. 6. 7. 8. 裹势　　9. 推掌

10. 11. 12. 13. 裹势　　14. 推掌

一、裹势[②]

左腿斜进，右掌阳插左肩下，两肱力束，右腿转进，两掌随身转至身右，如抱物状，左腿跟提起。(如上图)（附图9）

附图9　裹势图

二、推掌[③]

左腿落进、绌，两手翻掌外推，两肱圆，左右指尖相对，左腿支。(如上图)（附图10）

附图 10　推掌图

注 释

① 有以柔刚之妙：原文“有以柔刚之妙”，少一字，据《八字功拳谱》当为“有以柔克刚之妙”。

② 裹势：接虎托势，左腿向左前方进一步，同时右掌掌心向上插于左肩下，两臂紧束，接着右腿向右转进一步，两掌随身转至右方，如抱物状，左足提至右胫。

③ 推掌：接前势，左腿向前进一步，两手反掌心向外、拇指向下推出，两臂圆撑，两手指尖相对，左腿支撑，重心落于右腿。

第四节　跨字功

跨，如跨马之跨，言其形也，实则托跨之势。路线如左（附图11）。

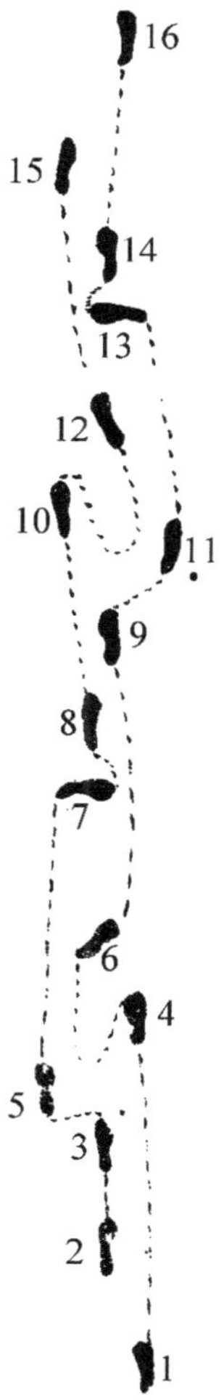

附图11　跨字功路线

1.2. 鸡形　　3.4. 虎托

5.6.7. 跨势　　8.9. 钻右掌

10. 钻左掌　　11.12.13. 跨势

14.15. 钻左掌　　16. 钻右掌

一、合肩①

左腿斜进，右掌阳插左肩下，两肱力束，右腿撤并左腿，脚提，面东。(如上图)（附图 12）

附图 12　合肩图

二、跨势[②]

右腿进，脚横，身右转，左腿进，右掌上起至额，左掌外搨敌胁，两腿方形，曰跨马势。(如左图)（附图 13）

附图 13　跨势图

三、钻右掌[③]

左腿进，左掌平扣，右腿进，右掌钻出，左腿进并右腿，脚提，左掌至肘下。(如左图)(附图 14)

附图 14　钻右掌图

四、钻左掌④

左腿进，左掌钻出，右掌置肘前，掌凹，腿鸡形。(如上图)（附图 15）

附图 15　钻左掌图

注 释

① 合肩：接虎托势，左腿向左前方进一步，同时右掌成阳掌插于左肩下，两臂紧束，两手均成阳掌，右足提至左胫，面朝左方。

② 跨势：右腿向前进一步，脚横落，身体同时向右转，右掌上起至头上方，左掌翻掌心向外、拇指向下打出，两腿成骑马蹲裆势。

③ 钻右掌：接前势，左腿向前垫一步，左掌变掌心向下，右腿进一步，同时右掌钻出，掌心向上，左足提至右胫，左掌置于右肘下。

④ 钻左掌：接前势，左腿前进一步，左掌变掌心向上钻出，右掌撤至左肘前，两掌变回阴掌，重心落于右腿（腿鸡形，在此指单重）。

第五节　挑字功

挑之力在肩与腿，右手挑，右脚猛开，左腿力撑，而肩亦得用力焉。与蛇形相类，而[①]手稍高。路线如左（附图 16）。

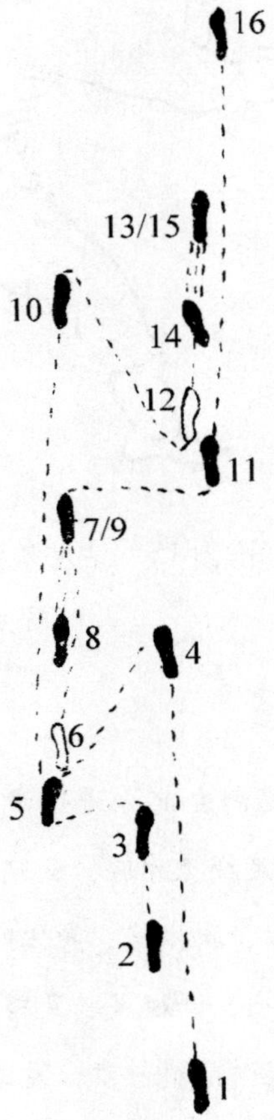

附图 16　挑字功路线

1.2. 鸡形　　3.4. 虎托

5.6. 合肩　　7. 挑势

8. 撤掌　　9. 挑掌

10. 鹰捉　　11.12. 合肩

13. 挑势　　14. 撤掌

15. 挑掌　　16. 鹰捉

一、合肩[②]

左腿斜进，右掌阳插左肋，左掌置肩上，两肱力束，右腿撤并左腿，脚提，蹲身，面东。（如上图）（附图 17）

附图 17　合肩图

二、挑势③

两手两足猛开，右掌齐头，左掌阴置肋，右腿绌，左腿支。（如左图）（附图 18）

附图 18　挑势图

三、撤掌[④]

左掌置右腕下，右掌与左腿同撤，掌撤至脐，腿撤半步，蹲身。（如左图）（附图 19）

附图 19　撤掌图

四、挑掌[5]

右腿进，右掌挑，左掌撤，阴至脐前。（如左图）（附图 20）

附图 20　挑掌图

五、鹰捉[6]

右掌不动，右腿稍进，左掌自右肩上顺进，左腿随进，两掌下扣，作捉物状。（如左图）（附图21）

附图21　鹰捉图

注 释

① 而：原文误作“而”，据文义当为“两”。

② 合肩：接虎托势，左腿向前进一步，足尖向左前方。同时右掌成阳掌插入左腋下，左掌伸向右肩上，两臂紧束。右足提至左胫，身往下蹲，面朝左方。

③ 挑势：接前势，右足向前进一大步。同时右掌向上挑至头齐，左掌成阴掌置于肋下。重心在右腿，左腿支撑。

④ 撤掌：接前势，左掌向前伸至右腕下，同时右掌与左腿向后撤，右掌撤至肚脐下，右腿撤半步，重心移至左腿，身体下蹲。

⑤ 挑掌：右腿进一步，右掌向上挑起高与头齐，左掌撤至脐前。重心落于右腿。

⑥ 鹰捉：右掌不动，右腿向前垫一步，左掌经右肩上向前下方劈扣，同时左腿前进一步，右手落至小腹前。

第六节　顶字功

顶之力在头，故此势以挺颈垂肩为要诀，掩手崩拳所以换势者，故并及之。路线如左（附图22）。

1. 2. 鸡形　　3. 4. 虎托

5. 6. 顶势　　7. 8. 平推

9. 掩手　　10. 崩拳

11. 12. 顶势　　13. 14. 平推

15. 掩手　　16. 崩拳

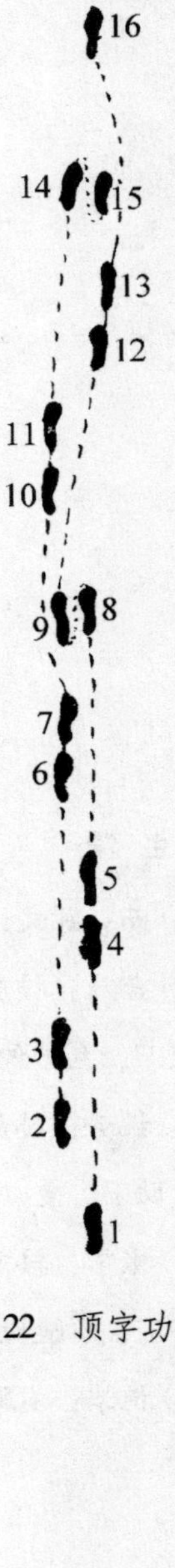

附图22　顶字功路线

一、顶势[1]

左掌阳插右肘下，两掌裹扣变阴拳，下落十字[2]，插掌时右腿进，裹扣时左脚提，下落时左脚落进，头上顶，肩下垂。（如左图）（附图 23）

附图 23　顶势图

二、平推[3]

左腿进，两拳分掌前推，右腿进、绌，手腕相对。（如左图）（附图 24）

附图 24　平推图

三、掩手④

两掌变拳，身撤，右腿随，左拳撤置胁，右肘左掩，小指外翻。（如左图）（附图25）

附图25　掩手图

四、崩拳[5]

左腿进，左拳自肘下打出，右腿跟，右拳阳置肋。（如左图）（附图 26）

附图 26　崩拳图

注 释

① 顶势：接虎托势，左掌成阳掌插入右肘下，同时右腿垫一步，两掌从外向内裹扣，变阴拳，同时左足提起并于右胫，两拳下落成十字打出，同时左足进一步，头要上顶，肩要向下垂劲。

② 下落十字：原文“下落十字”，少一字，据《八字功拳谱》当为“下落成十字”。

③ 平推：左腿垫步，两拳分开变掌，手腕相对向前推，同时右腿进一步，腿弯曲。

④ 掩手：两掌变拳，左腿后撤半步，右腿跟随后撤，重心移至左腿，同时左拳收回置肋下，右肘向左掩，小指向外翻。

⑤ 崩拳：左腿前进一步，左拳变立拳从右肘下打出，右腿跟进，右拳朝上置于肋下。

第七节　云字功

说文：云，从雨云，象云回转形。今所用者，即借其回转之说也。其两掌与左右捋，皆如行云之飘焉[①]。路线如左（附图27）。

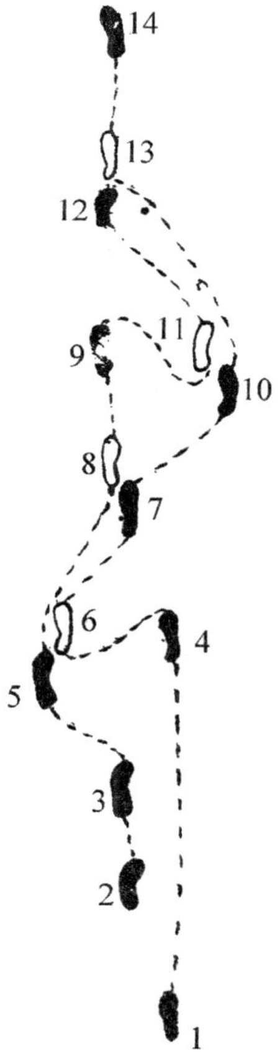

附图27　云字功路线

1.2. 鸡形　　3.4. 虎托

5.6. 云势　　7.8. 右捋

9. 左捋　　10.11. 云势

12.13. 左捋　　14. 右捋

一、云势②

右手阳插左肩窝，右腿斜进，左腿进并右腿，脚提，左掌自顶绕转。(如左图)（附图 28）

附图 28　云势图

二、右捋[3]

左掌绕至右耳上，右掌随之，两掌同时变拳，右捋，左拳前阳，右拳后阴，左脚仍不落地，随身稍转。(如左图)（附图 29）

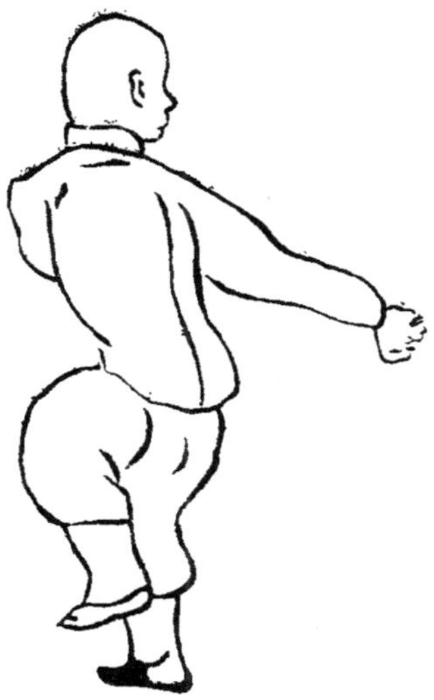

附图 29　右捋图

三、左捋[4]

两掌由右绕至身前，左脚落进，左捋，右拳前阳，左拳后阴。(如上图)（附图30）

附图30　左捋图

注释

① 皆如行云之飘焉：原文“皆如行云之飘焉”，少一字，据《八字功拳谱》当为“皆如行云之飘忽焉”。

② 云势：接虎托势，右手成阳掌插入左腋下，右腿垫步，左腿前进一步并于右腿，左足提至右胫，左掌环绕上升至头上方，掌心朝上，虎口向前。

③ 右捋：左掌经耳下落，两掌同时变拳，向右后方捋出，左拳成阳拳在前，右拳成阴拳在后。左足仍然提着，身体稍向右转。

④ 左捋：两掌由身右绕经身前，向左后方捋出，右拳成阳拳在前，左拳成阴拳在后，左捋的同时左足前进一步。

第八节　领字功

领，受也，顺势而领取也。首势已尽其意矣，虎托与三掌皆以顾身后者。路线如左（附图 31）。

附图 31　领字功路线

1. 2. 鸡形　　　　3. 4. 虎托

5. 领势　　　　6. 7. 转身虎托

8. 9. 转身三掌、退掌　　　　10. 领势

11. 12. 转身虎托　　　　13. 14. 转身三掌、退掌

一、领势[①]

右手钻出左腕，两手变掌[②]，左腿进，手后捋，右拳前阳，左拳后阴。（如上图）（附图 32）

附图 32　领势图

二、转身虎托[3]

身右转，右脚顺，右掌自腰间翻扣，左腿进、绌，左掌自右腕下打出，左腿支。（如左图）（附图 33）

附图 33　转身虎托图

三、转身三掌[④]

身右转，右脚顺，右掌仰扣，左腿进、绌，左掌覆扣，右掌盖头，右腿支。（如左图）（附图 34）

附图 34　转身三掌图

四、退掌[⑤]

两脚不动，左掌打出，右掌撤置肋，身蹲，左腿稍绌。（如上图）（附图 35）

附图35　退掌图

注释

① 领势：接虎托势，右手从左腕下钻出，两手同时变拳，左腿前进一步，同时两手向左后方捋出，右拳成阳拳在前，左拳成阴拳在后。

② 掌：原文误作“掌”，据《八字功拳谱》当为“拳”。

③ 转身虎托：左足回扣，身体向右转，右足顺直，同时右掌经腰向后翻扣，左腿进一步，同时左掌从右腕下打出，成虎托势，重心落于右腿。

④ 转身三掌：左足回扣，身体向右转，右足顺直，右掌在转身同时下扣，进左腿同时左掌下扣，右掌劈向对方头部，左腿弯曲，右腿支撑。

⑤ 退掌：两足不动，左掌向前打出，右掌撤至肋下，同时重心后移至右腿，身体微下蹲。

新书预告

武学名家典籍丛书

孙禄堂武学集注

（形意拳学　八卦拳学　太极拳学　八卦剑学　拳意述真）

孙禄堂　著　　孙婉容　校注　　定价：288 元

杨澄甫武学辑注

（太极拳使用法　太极拳体用全书）

杨澄甫　著　　邵奇青　校注　　定价：178 元

陈微明武学辑注

（太极拳术　太极剑　太极答问）

陈微明　著　　二水居士　校注　　定价：218 元

（第一辑）

李存义武学辑注

（岳氏意拳五行精义　岳氏意拳十二形精义　三十六剑谱）

李存义　著　　阎伯群　李洪钟　校注　　定价：268 元

张占魁形意武术教科书

张占魁　著　　吴占良　王银辉　校注

薛颠武学辑注

（形意拳术讲义上编　形意拳术讲义下编　象形拳法真诠　灵空禅师点穴秘诀）

薛　颠　著　　王银辉　校注　　　　　　　　　　　定价：358 元

（第二辑）

陈鑫陈氏太极拳图说（配光盘）

陈　鑫　著　　陈东山　陈晓龙　陈向武　校注　　定价：358 元

董英杰太极拳释义

董英杰　著　　杨志英　校注

许禹生武学辑注

（太极拳势图解　陈氏太极拳第五路　少林十二式）

许禹生　著　　唐才良　校注

（第三辑）

李剑秋形意拳术

李剑秋　著　　王银辉　校注

刘殿琛形意拳术抉微

刘殿琛　著　　王银辉　校注

靳云亭武学辑注

（形意拳图说　形意拳谱五纲七言论）

靳云亭　著　　王银辉　校注

（第四辑）

武学古籍新注丛书

王宗岳太极拳论

李亦畬　著　　二水居士　校注　　定价：50 元

太极功源流支派论

宋书铭　著　　二水居士　校注　　定价：68 元

太极法说

二水居士　校注　　定价：65 元

（第一辑）

手战之道

赵　晔　沈一贯　唐顺之　何良臣　戚继光　黄百家　黄宗羲　著

王小兵　校注　　定价：65 元

（第二辑）

百家功夫丛书

张策传杨班侯太极拳108式　（配光盘）

张　喆　著　　韩宝顺　整理　　定价：48 元

河南心意六合拳　（配光盘）

李洳波　李建鹏　著　　定价：79 元

（第一辑）

形意八卦拳

贾保寿　著　　武大伟　整理　　定价：52 元

张鸿庆传形意拳练用法释秘　　邵义会　著

王映海传戴氏心意拳精要（配光盘）

王映海　口述　　王喜成　主编　　　　　　　　定价：198 元

戴氏心意拳功理秘技　　　　　　王　毅　编著

（第二辑）

传统吴氏太极拳入门诀要　　　　张全亮　著

华岳心意六合八法拳　　　　　　张长信　著

程有龙传震卦八卦掌　　　　　　奎恩凤　著

杨振基传太极拳内功心法　　　　胡贯涛　著

刘晚苍内家功夫及手抄老谱　　　刘晚苍　刘光鼎　刘培俊　著

（第三辑）

民间武学藏本丛书

守洞尘技　　　　　　　　　　　崔虎刚　校注

通臂拳　　　　　　　　　　　　崔虎刚　校注

心一拳术　　　　　　　　　　　李泰慧　著　　崔虎刚　校注

六合拳谱　　　　　　　　　　　崔虎刚　校注

少林论郭氏八翻拳　　　　　　　崔虎刚　校注

（第一辑）

心意拳术学　　　　　　　　　　戴　魁　著　　崔虎刚　校注

武功正宗　　　　　　　　　　　买壮图　著　　崔虎刚　校注

太极纲目　　　　　　　　　　　崔虎刚　校注

神拳拳谱　　崔虎刚　校注

精气神拳书·王堡枪　　崔虎刚　校注

（第二辑）

单打粗论　　崔虎刚　校注

母子拳　　崔虎刚　校注

拳谱志三　　崔虎刚　校注

拳法总论　　崔虎刚　校注

少林拳法总论　　崔虎刚　校注

（第三辑）

少林秘诀　　崔虎刚　校注

绘像罗汉短打变式　　崔虎刚　校注

绘像罗汉短打通式　　崔虎刚　校注

计艺外丹　　崔虎刚　校注

香木神通　　崔虎刚　校注

（第四辑）

老谱辨析点评丛书

再读浑元剑经　　马国兴　著

再读王宗岳太极拳论　　马国兴　著

（第一辑）

太极拳近代经典拳谱探释　　魏坤梁　著

再读杨式老谱　　马国兴　著

再读陈氏老谱　　马国兴　著

（第二辑）

拳道薪传丛书

三爷刘晚苍——刘晚苍武功传习录

刘源正　季培刚　编著　　定价：54 元

慰苍先生金仁霖——太极传心录　　金仁霖　著

习武见闻与体悟　　陈惠良　著

（第一辑）

中道皇皇——梅墨生太极理念与心法

梅墨生　著

乐传太极与行功

乐 匋　原著　　钟海明　马若愚　编著

（第二辑）

民国武林档案丛书

太极往事　　季培刚　著

（第一辑）

图书在版编目（CIP）数据

李存义武学辑注. 岳氏意拳十二形精义/李存义著；阎伯群，李洪钟校注.
—北京：北京科学技术出版社，2017.5
（武学名家典籍丛书）
ISBN 978-7-5304-8450-0

Ⅰ.①李… Ⅱ.①李… ②阎… ③李… Ⅲ.①武术-研究-中国 ②意拳-研究-中国 Ⅳ.①G852

中国版本图书馆CIP数据核字（2016）第132091号

李存义武学辑注——岳氏意拳十二形精义

作　　者： 李存义
校 注 者： 阎伯群　李洪钟
策　　划： 王跃平　常学刚
责任编辑： 苑博洋　刘瑞敏
责任校对： 贾　荣
责任印制： 张　良
封面设计： 张永文
封面制作： 木　易
版式设计： 王跃平
出 版 人： 曾庆宇
出版发行： 北京科学技术出版社
社　　址： 北京西直门南大街16号
邮政编码： 100035
电话传真： 0086-10-66135495（总编室）
0086-10-66113227（发行部）　0086-10-66161952（发行部传真）
电子信箱： bjkj@bjkjpress.com
网　　址： www.bkydw.cn
经　　销： 新华书店
印　　刷： 保定市中画美凯印刷有限公司
开　　本： 787mm×1092mm　1/16
字　　数： 136千字
印　　张： 20.25
版　　次： 2017年5月第1版
印　　次： 2017年5月第1次印刷
ISBN 978-7-5304-8450-0/G·2477

定　　价：96.00元